The World Of

AUSTIN POWERS

Andy Lane

Contents

Groovy Baby!

5

Foreword

OH BEHAVE!

Time Traveller

'I CAN EXPLAIN… Okay, in 1967 Dr. Evil had himself cryogenically frozen. As a counter-measure, I too was frozen. Thirty years later we were both unfrozen. I thwarted Dr. Evil, got married, but found out my wife was a Fembot. I travelled back to 1967 because Dr. Evil stole my mojo. Evil got away. I travelled back to the future, caught Dr. Evil in the first act, only to have my father kidnapped and brought back to 1975…'

1960

1970

10 *Using an improve[d] time travel device, Austin Powers (now Sir Austin Powers) travelled back in time from 2002 to 1975 in order to locate his father Nigel, who had been kidnapped by arch-criminals Goldmember and Dr. Evil and hidden in the past. Austin was also captured, but escape[d] and returned to 2002 on the trail of the villains and his father.*

8 *Using an experimental M.O.D. time travel device, Austin Powers travelled back in time from 1999 to 1969 in an attempt to retrieve his stolen mojo… and failed!*

1940

1950

1 *Austin Powers was born in 1941. His father was the world-famous super-spy and International Man of Mystery, Nigel Powers. His early years were spent immersed in spy toys and gadgets – his father bought him a helicopter that fitted into a backpack – and so it was obvious that he would follow in his father's footsteps and become a world-famous super-spy and International Man of Mystery in his own right.*

2 *Following his graduation from British Intelligence Academy, Austin Powers established his cover as an international playboy and aspiring fashion photographer while mastering the tricks of the spy trade.*

3 *He also spent time in the Royal Navy in the early 1960s. Caught clap on weekend shore leave. Many of his missions were directly or indirectly associated with Dr. Evil, his one-time schoolmate and now arch-enemy.*

4 *In 1967, Austin Powers's naked body was frozen in a vault beneath the UK Ministry of Defence. Austin suggested this drastic move when he found out that his arch-nemesis Dr. Evil had been frozen in order to evade capture by British Intelligence.*

5 *In 1969, two years in[to] Austin's hibernation, [two] of Dr. Evil's agents entere[d] M.O.D. vault, drilled int[o the] capsule in which Austin's [body] lay and stole Austin's moj[o.]*

Felicity Shagwell: 'Austin, what's the future like?'
Austin: 'Well, everyone has a flying car, entire meals come in pill form and the Earth is ruled by DAMN DIRTY APES!'
Felicity: 'Oh my god.'
Austin: 'Had you for a second, baby!'

Austin: 'So, Basil, if I travel back to 1969 and I was frozen in 1967, I could go look at my frozen self. But if I'm still frozen in 1967, how could I have been unthawed in the 1990s and travelled back to the 1960s? Oh no – I've gone cross-eyed!'

6 *Austin's body lay inert for twenty-eight more years until, in 1997, British Intelligence information suggested that Dr. Evil had been reanimated. Austin was quickly defrosted to take on Dr. Evil once more.*

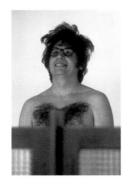

7 *Austin defeated Dr. Evil and settled happily into modern life. However in 1999 Dr. Evil sent Fat Bastard back to 1969 to steal Austin's mojo from his frozen body.*

9 *Austin returned to 1999 but – in a flagrant violation of all known laws of physics – a version of Austin that was ten minutes younger followed him back and seduced his colleague Felicity. When the impossibility of this was pointed out, the 'younger' version of Austin vanished. And the remaining Austin realized mojo comes from the inside and works its way out. Totally psychological, baby…*

11 *Austin makes a smashing return to 2002, mojo intact, sexy bird at his side, ready to embrace his existence in the present, with his new found family and all things groovy again. For now…*

'The 70s and 80s? Trust me, you're not missing a thing. I looked into it. There's a gas shortage and A Flock of Seagulls, that's about it.'

AUSTIN POWERS

Austin Powers – International Man o

THE YEAR IS 1967, and while free love reigns, Dr. Evil is up to no good. His most diabolical scheme has failed – and he wants answers. What's an evil doctor to do? He purges his organisation of unsuccessful henchmen with a push of a button and, as the conference table empties, Dr. Evil reveals his next plot – to destroy Austin Powers, jet-setting photographer by day and international man of mystery by night.

After thirt
years in
cryogenic
suspension
Austin's as
had shrun
considerab

Along with his boss in British Intelligence, Basil Exposition, Austin hatches a plan to confront the elusive Dr. Evil. Austin deliberately walks into the trap set by Dr. Evil in London's Electric Psychedelic Pussycat Swingers Club and turns the tables. Never fooled by appearances, Austin, along with the swift judo moves of Mrs. Kensington, escapes an assassination attempt on his life by one of Dr. Evil's minions – all the while working the room and grooving to the 'switched on' music. Dr. Evil quickly retreats, escaping into a cryogenic freezing capsule within a rocket disguised as a gigantic Big Boy®. The Big Boy®, better known as the mascot of a popular fast food chain, launches off the top of the club, sending the frozen

'Why must I be
surrounded by
frickin' idiots?

DR. EV

Dr. Evil: 'It's *Doctor* Evil. I didn't spend 6 years in Evil Medical school to be called Mister.'

Mystery

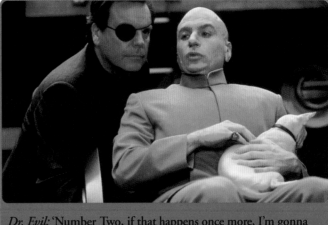

'As long as people are still having promiscuous sex with many anonymous partners without protection while at the same time experimenting with mind-expanding drugs in a consequence-free environment, I'll be as sound as a pound!'

AUSTIN POWERS

Dr. Evil (and his beloved cat, Mr. Bigglesworth) into suspended animation. His aim? To return at a time when free love no longer reigned, and greed and corruption ruled again.

In 1997 engineers at the NORAD Combat Operations Center make a startling discovery – a Big Boy® rocket appears on their radar screens. Dr. Evil has returned, after a 30 year hiatus in space. Alerted by the US Air Force, Basil Exposition rushes to the British Ministry of Defence to thaw Austin Powers, who volunteered to be cryogenically frozen to await the return of Dr. Evil. This time around, Basil and company are fully prepared. With the help of Miss Vanessa Kensington, the daughter of Austin's long-since retired partner Mrs. Kensington, Austin is reanimated to resume his mission. Aside from going undercover with Austin, Vanessa is responsible for introducing him to the new decade in which he lives. 'You know, a lot's changed since 1967,' she warns.

Reclaiming control of his evil empire from his number two agent, Number Two, Dr. Evil is miffed to find that it has diversified into various legitimate money-making schemes under the banner of a company called Virtucon. Frustrated by the failure of all his plans to date, Dr. Evil issues orders that a nuclear weapon be stolen from the former Soviet republic of Kreplachistan. He plans to burrow the stolen nuclear warhead deep inside the Earth using an underground torpedo in order to blow up the world. This plan, of course, could be terminated in the event that the United Nations were to pay him one hundred billion dollars. This figure, originally set at $1 million, was quickly recalculated to take into account the inflation rates for extortion since 1967.

Suspecting that Virtucon is a cover for Dr. Evil's schemes, Austin and Vanessa travel to Las Vegas, where they infiltrate Virtucon's premises but are captured by Dr. Evil's henchpeople.

In a final showdown, Austin Powers and Dr. Evil confront one another in front of Dr. Evil's underground torpedo. Dr. Evil orders the torpedo to be released, but Austin manages an improbably slow-motion dive toward the 'abort' button, hitting it just in time to destroy the missile just before it penetrates the hot, gooey centre of the planet.

While Dr. Evil escapes into space again, our hero and heroine relax in the glorious aftermath of saving the world, and the afterglow of their discovery of each other. And if Austin's world-saving dive was improbable, then his subsequent marriage to Vanessa was almost unbelievable. Austin Powers, the world's greatest swinger, committing himself to monogamy?

Austin Danger Powers

AUSTIN POWERS is charming and debonair. He's handsome, witty and sophisticated and is a world-renowned photographer. Women want him, men want to be him. He's a lover of love – every bit an International Man of Mystery.

While his toothy grin of twisted yellow choppers was captivating to women in the 1960s, Austin's appearance in the 1990s was in need of a little nineties make-over. Modern advances in dentistry were just another aspect of Austin's introduction to the future.

Alongside all his other skills, Austin is also a master of disguise. With only a few small props – a false beard, perhaps, or a turban – he can make himself completely unrecognisable, submerging himself in an alternate personality.

Suitable for randy babies to run their hands through

Bad teeth

National Health glass

Frilly lace cravat covering sexy thatch of chest hair

One silver male symbol medallion (as if there was any question)

'There's nothing more pathetic than an ageing hipster.'
DR. EVIL

Italian boots, Bongiorno Boys!

Jiving down Carnaby Street, Austin brings music wherever he goes.

The personal effects that Austin put into storage when he was frozen give an insight into the kind of guy he is:
• One blue crushed velvet suit
• One frilly lace cravat
• One silver medallion with male symbol
• One pair of Italian boots
• One vinyl record – *Burt Bacharach Plays His Hits*
• One Swedish-made penis enlarger pump (plus credit card receipt, warranty and instruction book).

DO I MAKE YOU HORNY BABY?

Who needs guns when you have cross mojo-nation?

'That's some getup you got there, are you in the show?'
BIG MOUTH TEXAN

'No, I'm English.'
AUSTIN POWERS

'I'm sorry.'
BIG MOUTH TEXAN

It's Dr. Evil

D R. EVIL – Austin Powers's arch-enemy – has one aim and one aim only: to extort as much money as he can from whatever organisation will pay. To that end he normally threatens the world with destruction, but he isn't above a little blackmail to keep his organisation funded.

Dr. Evil has various characteristics which automatically mark him out as a psychopathic villain. He is fascinated by technology, for instance – huge drilling machines, sharks equipped with laser beams, seats that deposit people into fiery pits – and he loses patience with henchmen and subordinates very quickly.

> **'People have to tell me these things. I've been frozen for thirty years, okay – throw me a frickin' bone here. I'm the boss – need the info.'**
>
> *DR. EVIL*

Dr. Evil and Austin Powers have confronted each other on numerous occasions during the 1960s. Following a confrontation in London, Dr. Evil had himself launched into orbit and frozen in order to escape his nemesis.

Dr. Evil returned to Earth in 1997, to find that Virtucon – the legitimate face of his evil empire – was now a highly profitable organisation and that the semen he had left behind had been used to create a son – Scott Evil.

Dr. Evil and Scott had a rocky relationship from the start. Dr. Evil had difficulty relating to his son's slacker lifestyle, and considered having him killed on a number of occasions. Scott, for his part, had difficulty in understanding his father's over-elaborate ways of disposing of his enemies. They entered therapy for a while, but Dr. Evil had the entire group liquidated for insolence.

When Dr. Evil was frozen, he took his cat – Mr. Bigglesworth – with him. They had been companions for many years, and Dr. Evil wanted at least one familiar face around him when he was revived again. Unfortunately the cat lost all his hair as a side-effect of the cryogenic storage process.

Dr. Evil: 'No, no, no. I'm going to leave them alone and not actually witness them dying. I'm just gonna assume it all went to plan... Wha

> **'At the age of fourtee a Zoroastrian named Vilma ritually shaved my testicles. There really is nothing like a shorn scrotum.'**
>
> *DR. EVIL*

Scott would often make rude gestures behind his father's back. In return, Dr. Evil often tried to have his son killed.

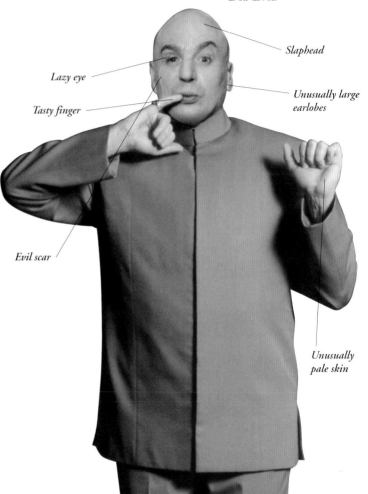

Slaphead

Lazy eye

Tasty finger

Unusually large earlobes

Evil scar

Unusually pale skin

15

Vanessa Kensington

VANESSA Kensington's mother was Austin Powers's closest colleague in British Intelligence back in the 1960s. She never slept with him, but she obviously found him deeply attractive. Together they thwarted many of Dr. Evil's most diabolical schemes, but Mrs. Kensington retired following Austin's decision to pursue Dr. Evil through time by freezing himself.

Mrs. Kensington never posed for Austin – he did all the posing.

It was some time before Vanessa could bring herself to ask how a penis enlarge pump actually worked.

Vanessa's oral skills were obvious to Austin Powers from their very first meeting – she was fluent in fourteen languages. She studied at Oxford, and joined the Ministry of Defence shortly after graduation, starting in the Cultural Studies section.

Vanessa is somewhat obsessive in her approach to life. When she packs her bags for foreign missions, for instance, everything is placed in its own little plastic bag and labelled. 'I'm the sensible one,' she told Austin Powers once. 'I'm always the designated driver.'

Vanessa found it difficult to relate to Austin Powers in the early days of their partnership. Previous bad relationships had resulted in some jealousy issues, and it took some time before she felt comfortable with Austin.

Thanks to Vanessa's sterling work aiding Austin in foiling Dr. Evil's plan to activate every volcano in the world, Basil Exposition promoted her from the Cultural Studies section of British Intelligence to a position as an active Field Agent. She and Austin worked together on a number of other cases, and married three months later.

'My God, Vanessa's got a fabulous body. I bet she shags like a minx!'

AUSTIN POWERS

On their honeymoon Austin and Vanessa worked through the positions in his version of *The Kama Sutra*, including The Wheelbarrow, The Praying Donkey and The Chinese Shagswing.

Skintight leather jumpsuit

Fabulous body

Austin Powers was shocked on his honeymoon to find that Vanessa Kensington had been replaced by a robotic look-alike designed as an assassination tool by Dr. Evil. The real Vanessa had, presumably, been killed by Dr. Evil's organisation at some stage in the two years between Vanessa and Austin meeting and their marriage. Basil Exposition claims to have known about it all along, but said nothing to Austin.

Austin keeps a wall-sized portrait of Vanessa Kensington in his London pad. His continuing feelings for her were what eventually drove him and Felicity Shagwell apart.

Vanessa: 'Maybe next time you should try foreplay!'

17

Basil Exposition

BASIL EXPOSITION is the Chief of British Intelligence, having held that position since the 1960s. That makes him Austin Powers's boss, and as such he has an almost avuncular concern for Austin's safety.

Although on the surface Basil Exposition seems to be the straightest, most ordinary man imaginable, there are certain things that set him apart from other men. He appears almost timeless, for instance, looking almost the same in 1967 as in 1997. He may also have odd, precognitive abilities – he knew in 1969 that Austin Powers had travelled back in time, although nobody had told him, and he also knew that Vanessa Kensington had been replaced by a Fembot before Austin did.

Another of Basil's odd little quirks is his compulsion to explain in very simple terms exactly what is going on at any particular point in time. This habit endears him to Austin Powers, who often has a very shaky grip on what's going on and needs to be constantly updated.

Basil is often to be found around new technology. He uses a picture phone in 1967 to communicate with Austin Powers while Austin is driving his car, and an updated computer video link to the same car in 1999. He often hangs around the British Intelligence laboratories, waiting eagerly for the results of forensic and pathology tests to come in.

'God speed Austin Powers.'

BASIL EXPOSITI[...]

Immaculate buttonhole conceals acid-firing device

Cufflinks contain enough plastic explosive to destroy a small building

Gold Hunter Watch doubles as tracking device and GPS receiver

Creases in trousers sharp enough to slice through flesh and bone

Basil Exposition: 'Hello Austin, this is Basil Exposition from British Intelligence. Now I want you to find out what part Virtucon play in something called Project Vulcan. I'll need you and Vanessa to get on that immediately.'

Basil's mother – Mrs. Exposition – was 92 in 1997 and lives in Tunbridge Wells, England. Austin considers her rather ugly. 'No offence, but if that's a woman, it looks like she's been beaten with an ugly stick,' he said the first time he met her. 'Think if everyone were honest, they'd confess that the lady looks rather mannish.'

In an ironic twist of fate, Basil Exposition was actually at British Intelligence Academy with Austin Powers, Dr. Evil and Number Two. All four of them graduated in the same year – 1958 – but time and fate took them all in radically different directions.

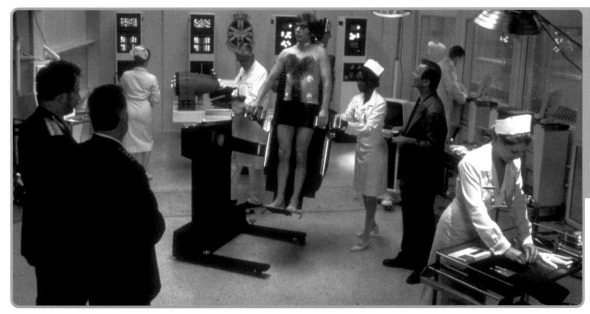

Basil: 'Well, Austin, you stopped Dr. Evil from destroying the world with his subterranean nuclear probe, and somehow you and Miss Kensington have escaped unscathed from his evil lair and ended up on a raft.'
Austin: 'Well, that about sums it up, Exposition.'

THE EVOLUTION OF BASIL'S HAIR

Basil has aged remarkably well, apart from an initial spurt after graduating from the British Intelligence Academy. Often the only distinguishing feature is his hairstyle.

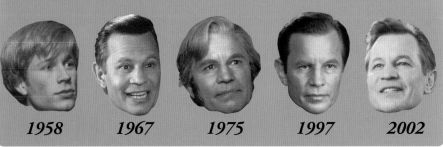

1958   *1967*   *1975*   *1997*   *2002*

Cryogenics Lab

DEEP BENEATH the Ministry of Defence in London lies a labyrinth of corridors and basement levels. In the deepest, darkest heart of that labyrinth, lies their greatest secret – the cryogenic storage facility.

The storage facility was originally created back in the 1950s as a means of storing away those people who would form the nucleus of a new civilisation following an atomic war. Separate vaults contain different categories of people – politicians, military officers, poets and celebrities.

Austin Powers was originally frozen in 1967, kept on ice not in the event of nuclear war but in case Dr. Evil ever returned to plague mankind. For two years Austin's frozen body was kept in a separate

Commander Gilmour: 'I hope your boy's up to it – we don't want to have to bail you guys out again like we did after dubya dubya two.'

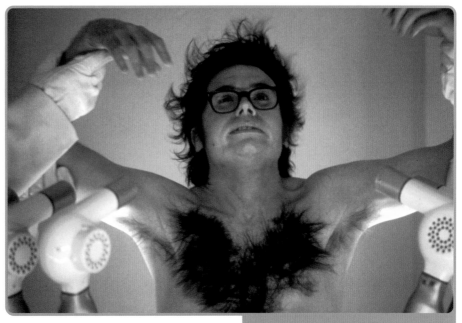

chamber, guarded by a regiment of the Scots Guards, but following a successful attempt to steal his mojo Austin's body was moved to the celebrity vault, where his body would be more visible and thus better protected.

Other celebrities stored alongside Austin included rap singer Vanilla Ice, stuntman Evel Knievel and former child actor Gary Coleman.

The M.O.D. cryogenic storage facility is manned twenty-four hours a day by scientists and technicians in protective clothing. The entire facility is powered by a nuclear reactor beneath the Cenotaph.

REANIMATION

The reanimation process includes several distinct phases:
- LASER CUTTING: the body is removed from its block of ice
- WARM LIQUID GOO: the body is defrosted
- REANIMATION: the body is brought back to life
- CLEANSING: the now living body is washed and blow-dried
- EVACUATION: the accumulated bodily wastes of many decades are voided. This can take some time.

'I've been frozen for thirty years, man — I want to see if my bits and pieces are still working!'

AUSTIN POWERS

SIDE EFFECTS

Revival from cryogenic freezing is a traumatic process. Potential side-effects include:
- cannot control volume of voice
- slight fever
- dry mouth
- flatulence
- loss of inner monologue

The Swinger has Landed

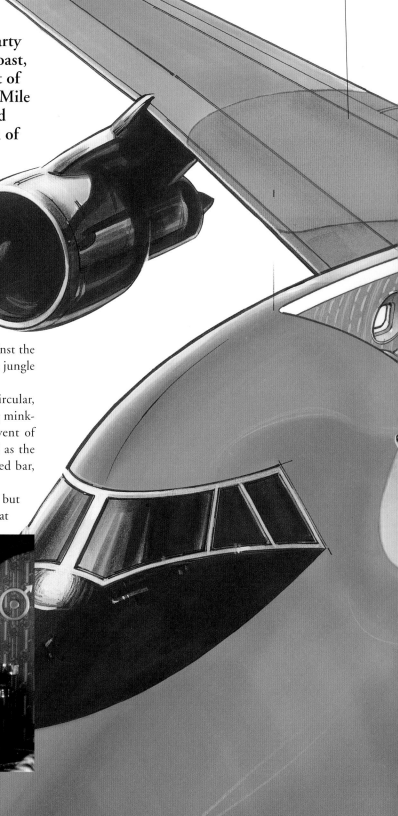

Psychedelic paintjob

AUSTIN'S shagadelic transportation isn't limited to the ground. When it's time to hit the skies, Austin does it in style in his specially customised wide-bodied 747 jet. The 747's first-class cabin is a virtual psychedelic shag-pad in the sky, a 24-hour party for Austin and guests. Flying from coast to coast, country to country – whether it be in pursuit of Dr. Evil, or to induct new members into the Mile High Club, Austin's jumbo jet is the preferred method of transport as an International Man of Mystery.

It's easy to spot Austin's aircraft on the tarmac or in the air: it's the one with the day-glo paint job. Where most other international aircraft are liveried in drab white or regimented colour schemes, Austin's jumbo is a riot of orange, green and purple swirls. Austin's own symbol adorns the tail-fin, just in case anyone was in doubt that it's his aircraft. When Austin arrives in town, there's no doubt that the swinger has landed!

The cabin's lush interior décor matches the psychedelic exterior. Those splashy blues and yellows against the various animal hide upholstery is enough to bring out the jungle animal in any woman.

The dominant feature of the 747's main cabin is the circular, rotating bed. The bed has several safety features, including mink-lined handcuff restraints, which can be used in the event of turbulence, or to subdue over-randy passengers. As well as the circular bed, the cabin area also contained a fully stocked bar, capable of supplying anything guests might require.

Austin had his own swinging stewardesses in the 1960s, but when Austin was defrosted in 1997 he quickly discovered that things had changed. Not only were stewardesses now known as 'Flight Attendants', but they wouldn't wear his special uniforms and they wouldn't take part in the baby-oil fuelled orgies he had scheduled in place of an in-flight movie.

In Austin's private jet, it's always time for cocktails and shagging.

'If you see this jet -rockin' don't come a-knockin', baby!'

AUSTIN POWERS

People who only saw the outside of Austin's jet thought it looked tasteless. People who had seen the inside as well thought the outside was quite restrained.

Groovy lighting

Rotating bed

Beanbags with seatbelts

23

Scott Evil

Scott: 'I hate you! I wish I was never artificially created in a lab.'

SCOTT EVIL is Dr. Evil's son, conceived – or so Dr. Evil was initially told – in a test-tube as a replacement for Dr. Evil just in case anything happened to him. Given Dr. Evil's lifestyle, that seemed a likely eventuality.

What Dr. Evil expected was that his son would be just like him, but it didn't turn out that way. Scott Evil seemed to have no ambition apart from hanging out with his friends, listening to grunge music and watching porn movies.

Disappointed in his son, Dr. Evil made several attempts on his life. Some of them Scott avoided by accident, some were foiled by Frau Farbissina – one of Dr. Evil's closest advisors – who had taken an almost maternal liking to the boy.

Dr. Evil eventually relented, and joined a therapy group with Scott, but he quickly realised that the group was insolent and had them liquidated.

When Dr. Evil's scheme to explode a nuclear device at the centre of the Earth, unless he was paid a phenomenally large sum of money, was defeated by Austin Powers, Dr. Evil attempted to escape, using Vanessa Kensington as a hostage. Austin Powers was forced to put a gun to Scott Evil's head, but Dr. Evil didn't seem to care whether his son was killed or not.

Dr. Evil: 'Well, don't look at me like I'm frickin' Frankenstein – give your father a hug!'
Scott: 'Get away from me you lazy-eyed psycho!'

'Remember when we froze your semen, you said if it didn't look like you were coming back we should try to make you a son so that a part of you would live forever...? Well, after a few years we sort of got impatient.'

FRAU FARBISSINA

In therapy it's important to stick with it, waiting for a breakthrough, rather than killing the therapist on a whim.

'I haven't seen you my whole life and now you show up and want a relationship? I hate you!'
SCOTT EVIL

Uncharacteristic Evil hair

Ear stud

Slack lower lip

Unco-ordinated stance

Baggy trousers with plenty of pockets

Scott Evil: 'He comes back, and now he wants me to take over the family business.'
Dr. Evil: 'But Scott, who's going to take over the world when I die?'

Scott Evil: 'I was thinking, I like animals – maybe I'd be a vet.'
Dr. Evil: 'An <u>evil</u> vet?'
Scott Evil: 'No! Maybe, like, work in a petting zoo.'
Dr. Evil: 'An <u>evil</u> petting zoo?'

Number Two

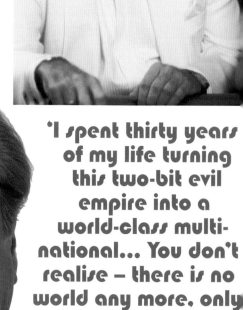

FOLLOWING the failure of a scheme to blackmail the world in 1967, Dr. Evil wiped out most of his 'evil cabinet' of advisors and went into suspended animation. Just before he froze himself, however, he brought in an old school chum to keep his organisation going whilst he was gone. That old school chum went under the pseudonym 'Number Two'.

For thirty years, Number Two kept Dr. Evil's organisation in one piece. Part of the time was spent in building secret bases and commissioning evil plans, but more and more of Number Two's efforts were devoted to legitimate business ventures.

For the first fifteen years that he was in charge, Virtucon (the name by which the world had come to know Dr. Evil's organisation) was a world-leader in the chemical industry. A sudden change of company policy in 1982 saw them taking over cable TV companies in thirty-eight American states, resulting in a massive increase in their share price. Virtucon also owned a steel mill in Cleveland, shipping in Texas, an oil refinery in Seattle and a company that made commemorative plates.

As relaxation, Number Two likes to gamble – usually with his confidential secretary Alotta Fagina. His winnings at the blackjack tables in Las Vegas were legendary, but owed more to technology than to good fortune. The eye-patch that made him look so rakishly attractive actually hid an X-ray scanner, allowing him to see through the cards and gamble accordingly.

Thirty years of holding the fort for Dr. Evil took their toll, however. Number Two had never really been happy with the idea of destroying the world, and found Virtucon's legitimate operations (supposedly just a front for money-laundering purposes and to put Austin Powers off the track) much more of a challenge. When Dr. Evil's scheme to flood the world with molten rock failed, Number Two cracked, accusing his former school friend of ruining his chances of making it big in the business world. Dr. Evil was forced to send Number Two plummeting into a fiery pit as punishment.

'I spent thirty years of my life turning this two-bit evil empire into a world-class multi-national... You don't realise – there is no world any more, only corporations.'

NUMBER TWO

'Some plates, like the Cheeses of the World series, have gone up in price some two hundred and forty per cent, but, like any business investment, there is some risk involved.'

NUMBER TWO

Number Two: 'Mr. Powers, in this briefcase is one billion dollars.'
Austin Powers: 'You're eight hundred and thirty-two dollars short.'
Number Two: 'Well, I had to buy the case.'

Dr. Evil's Assassins

AN INTEGRAL PART of Dr. Evil's team is a mismatched set of assassins whose skills were all different but whose aim was the same – the death of Austin Powers.

Mustafa worked for Dr. Evil for over thirty years. Not only was he a trained assassin whose preferred weapon of choice was the knife, but he designed and built many of the technological gadgets with which Dr. Evil attempted to subjugate the world.

Mustafa designed the cryochamber that preserved Dr. Evil and Mr. Bigglesworth in space. However he was unable to anticipate feline complications due to the unfreezing process – the poor cat ended up completely hairless. Dr. Evil was swift to punish Mustafa: down the chute to the fiery pit he went. Despite terrible injuries, he survived and remained loyal to Dr. Evil.

Mustafa suffered from the odd psychological quirk that he could not bear to be asked any question more than twice, and would be compelled to answer after the third time. He sought psychological treatment for this problem, but the treatment was only partially successful, and he now has to answer questions after four times of asking.

Random Task – real name Sheung Kim – is a Korean whose expertise lies in throwing slip-on shoes with deadly effect.

Patty O'Brien's Irish heritage is the key to his character. A talented killer, he is also deeply superstitious and leaves items from his good luck bracelet – which also doubles as a garrotte – on each one of his victims.

'I can't recall your name, but the fez is familiar!'

AUSTIN POWERS

Dr. Evil's associates in 1967 included Rita, the hook-handed Don Luigi, Generalissimo and the lunatic surgeon Jurgen. He wiped them all out in a fit of pique.

28

'They're always after me lucky charms!'

PATTY O'BRIEN

Patty O'Brien died while trying to assassinate Austin Powers in a Las Vegas toilet stall. It's no way to be remembered.

Random Task occasionally thought about adding a high protein supplement to his diet.

'Ow! That really hurt. I'm going to have a lump there, you idiot. Who throws a shoe? Honestly! You fight like a woman.'

AUSTIN POWERS

The Conference Room

T HE conference room is the nerve-centre of Dr. Evil's Las Vegas lair. Luxuriously appointed, almost sinfully comfortable, it has served as the base for his evil cabinet for over three decades.

The conference room, like the rest of the underground lair, has been carved out of the living rock. The rough-hewn granite has been left partially exposed in some areas as a concession towards modern design and also in an attempt to save money on wall coverings.

The centrepiece of the conference room is the immense table, around which Dr. Evil's advisors sit. The table itself contains a map of America, showing all of the legitimate holdings of Virtucon but also doubles as a dinner table with seven place settings. A communication screen set into the wall allows Dr. Evil to dictate terms to whichever government he wishes.

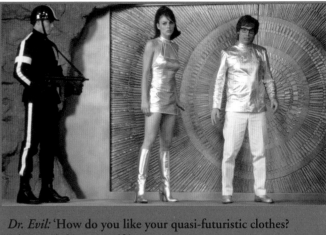

Dr. Evil: 'How do you like your quasi-futuristic clothes? I designed them myself.'

Contributing to the calm, contemplative atmosphere of the conference room are the many works of art that are strategically placed around the walls – all of them stolen by Dr. Evil's organisation at various times. Most are modern art – smooth or spiky agglomerations of metal in abstract shapes. The only example of a more representational style – a bust of Wellington – was destroyed by Dr. Evil's henchman, Random Task, in a bravura display of shoe-throwing.

A set of buttons in front of Dr. Evil's chair allows Dr. Evil to tip any of his henchmen backwards and send them sliding down hidden chutes into a fiery pit located beneath the conference room. There they will – with a bit of luck – be burned to death. However, at least two henchmen have been sent sliding down the chute but survived the pit and later rejoined Dr. Evil's cabinet: Number Two and Mustafa.

There are several entrances and exits from the conference room. One leads to the living quarters (from which Scott Evil's music can be heard blasting); one leads to the main hall and one permits access to the Mutated Sea Bass Chamber. A fourth entrance – disguised as a rotating fireplace – connects to the Fembot room.

Abstract modern sculptures

MUTATED SEA BASS POOL

Disposal of unwanted guests is a perennial problem for evil psychotics and would-be world despots. Henchmen can, of course, be discarded via one of the traditional routes – electrified chairs, chairs that tip backwards into fiery pits and so on – but opponents who work for the forces of good deserve something slower and more imaginative.

Dr. Evil's solution to the nemesis disposal problem was a pool full of mutated sea bass (scaled down from the original proposal – sharks with lasers attached to their heads).

Dr. Evil: 'What do we have?'
Number Two: 'Sea bass.'
Dr. Evil: 'Right…'
Number Two: 'They're mutated sea bass.'
Dr. Evil: 'Really? Are they ill-tempered?'

Dr. Evil was particularly fond of the Unnecessarily Slow-Moving Dipping Mechanism.

High security telephone link to security staff

Eliminator

Intercom

Trajectory to flame pit

Dr. Evil's Underground lai

FOR OVER thirty years the centre of Dr. Evil's operations has been located under several kilometres of solid granite just outside Las Vegas, Nevada. The base is only accessible via three heavily guarded entrances – a tunnel whose entrance is concealed behind a massive hinged rock; an emergency exit shaft and a deep silo through which Dr. Evil's escape rocket can be launched.

Austin's estimates of a three point turn to reverse the cart turned out to be wildly optimistic.

Dr. Evil's headquarters is manned by several thousand highly trained personnel whose loyalty towards Dr. Evil is unquestioned. It also holds the legitimate activities of Virtucon, a leading manufacturer of many items you'll find right in your own home. They make steel, volatile chemicals, petroleum-based products and decorative hand-painted theme plates for collectors. Virtucon runs informative guided tours of its underground facilities, which enable Austin and Vanessa to gain access.

'Ladies and Gentlemen – welcome to my underground lair.'

DR. EVIL

PROJECT VULCAN

Project Vulcan was the code-name for Dr. Evil's plan to blackmail the world for one hundred billion dollars (raised from one million dollars after Dr. Evil corrected for thirty years of inflation).

The key to Project Vulcan was the underground torpedo – a device with a massive drill bit which allowed it to penetrate the Earth's crust and deliver a nuclear warhead to the centre of the Earth.

The centrepiece of the base is the massive Project Vulcan Hall. This houses the electrical generators necessary to power the complex, the computer that controls it all, and Project Vulcan itself.

Dr. Evil's underground base was destroyed in 1997 when Dr. Evil himself triggered a nuclear self-destruct device in a last-ditch attempt to kill Austin Powers following the foiling of his Project Vulcan scheme.

Conveniently, the control systems for the Underground Lair include a clearly-labelled 'abort' button.

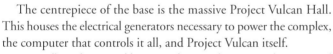

Dr. Evil:
'Gentlemen – I give you the Vulcan: the world's most powerful subterranean drill… so powerful it can penetrate the Earth's crust, delivering a 50 kiloton nuclear warhead deep into the liquid core of the planet. Upon detonation, every volcano on the planet will erupt!'

Fembots

OF THE MANY evil schemes perpetrated by Dr. Evil, perhaps the most evil of all was the creation of the Fembots. Macabre perversions of femininity, these robotic *femmes fatales* were specifically designed to appeal to Austin Powers. And did they? *Yeah*, baby!

Fembots are indistinguishable from glamorous 1960s housewives, with their blonde beehive hairdos, their frilly negligees, their furry, high-heeled slip-ons and their elbow-length gloves.

Dr. Evil's Fembots had one purpose – to destroy Austin Powers – and to that end they were fitted with various sets of armaments, from disorienting gas (emitted through nipple vents) to machine guns (firing through nipple barrels). If all else failed, they could explode (nipples and all).

Constructed from 1960s technology, the Fembots were finally undone by two things – superior 1990s technology and the timeless mojo of Austin Powers. Video recorder remote control units could send them into reverse and fast forward, as well as causing them to become mute and speak in foreign languages. They were also no match for Austin Powers's unbridled sexuality, which caused them to short circuit, vibrate like crazy and eventually blow up.

Austin believed that he had defeated all of Dr. Evil's Fembot army with his powerful mojo, but he was wrong. Somehow, Dr. Evil managed to replace Austin's new bride – Mrs. Kensington's daughter, Vanessa – with a Fembot copy.

'These are the latest word in android replicant technology. Lethal, efficient, brutal. And no man can resist their charms.'

FRAU FARBISSINA

Beehive hairdo covering central processing unit

Sultry blue eyes

Ballistic jubblies

Maribou mules

Austin thought he knew everything about female anatomy until he met the Fembo

'Machine gun jubblies – how did I miss those?'

AUSTIN POWERS

Austin: 'Cold showers, baseball, Margaret Thatcher naked on a cold day…'

'I can't believe Vanessa, my bride, my one true love, the woman who taught me the beauty of monogamy, was a Fembot all along! Wait a tic… that means I'm single!'

AUSTIN POWERS

'Here's your wedding present, Mr. Powers – a kamikaze bride from me, Dr. Evil.'

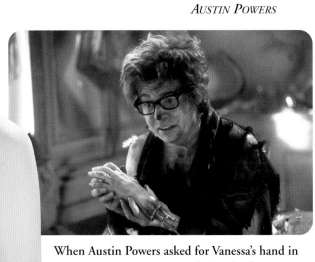

When Austin Powers asked for Vanessa's hand in marriage, he was unaware of what the future would hold.

Austin the Happy Snapper

ALTHOUGH evil masterminds everywhere know him as an International Man of Mystery, Austin Powers was best known in the 1960s as a fashion photographer.

Austin was so successful as a photographer that women were desperate to model for him and then sleep with him – or vice versa.

Austin picked up his photographic career again in 1997, and once more shot to the top of the profession. Supermodels such as Rebecca Romijn and Ivana Humpalot begged for him to take their photographs, because they knew that a quick appearance in front of his lens would do more for their careers than an entire battalion of publicists.

Austin likes to invite two hundred close chums round for a spot of chick-painting.

'And I'm born ... and shoot! Born and shoot!'
AUSTIN POWERS

'You're an animal... You're a tiger... Now be a lemur, baby! You're a ring-tailed lemur!'
AUSTIN POWERS

Austin took some great shots of Ivana Humpalott, but lost his cool when she offered to return the compliment by shagging him rotten.

Smashing! AND I'M SPENT.

Secondary flash

Firm yet sensitive grip

'Burrow, burrow! It's all you've got – you don't have sharp teeth capable of biting! Make an interconnected series of tunnels like the Viet Cong! And I'm spent!'

AUSTIN POWERS

'Crazy, baby! Give me some shoulder. Yes! Yes! Yes!'

AUSTIN POWERS

The Spy Who Shagged Me

1999, and Dr. Evil returns to earth after two years frozen in orbit. Once again he takes over the reins of his evil organisation, and discovers that since his disappearance his minions have again branched out into legitimate business and now own a successful chain of coffee bars. They have also cloned Dr. Evil, but the cloning process went wrong and produced a copy of him that was only one eighth his size. 'Breathtaking,' exclaims Dr. Evil. 'I shall call him Mini-Me.'

Dr. Evil's primary aim is, of course, to prevent Austin Powers from de-railing his plans to take over the world. First he attempts to kill Austin by replacing Austin's new bride – Vanessa Powers, née Kensington – with an exploding robotic replacement. When that fails Dr. Evil decides to steal Austin Powers's 'mojo' – his life force, his charisma, the power that enables him to defeat Dr. Evil time after time. Dr. Evil also decides that the best time to steal the mojo is thirty years ago, while Austin is still frozen and Dr. Evil is in orbit around the Earth. To that end he has developed a time machine, and he uses it to travel back to 1969 where he has an agent already working in the cryogenic storage establishment where Powers's body is stored.

Austin realises that his mojo has been taken when, in 1999, he is suddenly at a loss whilst attempting to seduce one of Dr. Evil's most seductive agents. 'Ivana Humpalot,' she introduces herself.

He's evil, he wants to take over the world, and he fits into most overhead storage bins. He's Mini-Me.

'I wanna toilet made of solid gold, Austin replies, 'but it's just not in the cards, now is it?' He alerts Basil Exposition, who sends Austin back in time to 1969 to thwart Dr. Evil's plans. Fortunately, 69 is Austin's favourite number.

Austin arrives at his own pad in 1969 and makes contact with Felicity Shagwell, an agent of the CIA. He also survives an attempt by one of Dr. Evil's agents – Robin Swallows (formerly known as Robin Spitz). 'Well, which is it baby,' Austin jokes – 'Spitz or Swallows?'

Felicity has discovered that a rogue agent named Fat Bastard has infiltrated the MoD. She sleeps with him and plants a tracker on his person, but he manages to get rid of it in a toilet

Austin: 'How do you get into tho[se] pants, baby?'
Felicity: 'Well, you can start by buying me a drink.'

at Paddington station. However, traces of a rare Caribbean vegetable in his stool sample, which he also left behind, lead Austin and Felicity to Dr. Evil's island lair.

Dr. Evil has taken full control of his 1969 organisation, and has developed a plan to put a giant laser, developed by the noted Cambridge astrophysicist Dr. Alan Parsons, on the moon and threaten the entire world with destruction. 'Mr. President,' he threatens, 'allow me to demonstrate the awesome lethality of the Alan Parsons Project. Fire the laser!'

'I've got your mojo now, sonny Jim!'

FAT BASTARD

After sipping Austin's mojo, Dr. Evil hops on the good foot and does the bad thing with Frau Farbissina. Sadly, it all gets weird.

Austin and Felicity are captured by Dr. Evil's paramilitary forces and confront Dr. Evil and Fat Bastard. The two of them are imprisoned while Dr. Evil and Mini-Me travel to Dr. Evil's hidden moon base. 'You've all been chosen to be part of my Elite Moon Unit, which is divided into two divisions,' Dr. Evil tells his troops – 'Moon Unit Alpha and Moon Unit Zappa.'

Austin and Felicity give chase in a borrowed Apollo 11 rocket. Austin confronts Dr. Evil ('Alright slaphead – turn around slowly!') but Evil manages to take Felicity hostage. Faced with a choice over whether he prevents Dr. Evil's laser from firing or saves Felicity's life, Austin chooses to foil Dr. Evil's scheme. However, realising that he may have made the wrong choice, he uses Dr. Evil's time machine to travel back ten minutes and aid himself in saving Felicity's life and foil Dr. Evil's scheme. Unfortunately, Austin's mojo is destroyed in the process.

Dr. Evil escapes to 1999. Austin also returns to 1999, bringing Felicity Shagwell with him, having realised that his mojo had never been taken from him as true mojo comes from within.

Austin Powers: 'How could you sleep with Fat Bastard?'
Felicity Shagwell: 'I was just doing my duty, Austin. I had to.'
Austin Powers: 'No, I mean, literally, HOW could you sleep with him? He's so fat! The mechanics of it are mind-boggling!'

Austin Powers – Swinger, Baby!

DESPITE HIS years of sexual freedom, Austin Powers fell in love with Vanessa Kensington in 1997 during their mission to defeat Dr. Evil. They married and spent their honeymoon in France, but Austin discovered all too quickly that Vanessa had been replaced by one of Dr. Evil's Fembots. It exploded, almost taking him with it, but leaving him a single man again.

Austin's sexual prowess and sheer confidence were, he believed, the product of a strange glandular secretion that he referred to as his 'mojo'. When his mojo was stolen in 1969 by an overweight Scottish mercenary named Fat Bastard, Austin found himself suddenly unable to rise to the occasion. With his confidence and his libido gone, his only hope was to travel back to 1969 and find his mojo again.

Whilst in 1969 and unable to swing because of his stolen mojo, Austin built up a friendship with a woman for perhaps the first time in his life. Her name was Felicity Shagwell, and she was a CIA agent. Alas, modelling her behaviour on what she believed Austin would do in the same situation, she shagged one of Dr. Evil's agents in order to gain information. Austin was devastated, and didn't appreciate the irony that he had done exactly the same thing to Vanessa Kensington two years before, almost destroying their relationship.

Returning to 1999 with Felicity Shagwell, having defeated Dr. Evil, saved the world and realised that mojo was something he always had, Austin found himself in the middle of a strange ménage à trois. Another Austin Powers had travelled from 1969 to 1999, and the two of them very nearly ended up in bed together with Felicity.

> 'Austin Powers? He's the snake to my mongoose. Or the mongoose to my snake. Either way it's bad.'
>
> DR. EVIL

AUSTIN'S TEETH
Modern dentistry has worked wonders on Austin's gnashers, but time travel seems to have a damaging effect.

1967   1997   1969   1999

Sorry ladies – he's lost his mojo!

Magnifying Specs – an invisible button on the hinge gives digital magnification

Martini (shaken, stirred, who cares?)

Symbol of male virility, also doubles as bottle opener

41

My Father Is Evil

FOLLOWING his abortive attempt to wreak volcanic havoc by detonating a nuclear device at the centre of the Earth, Dr. Evil once again returned to space and had himself frozen.

Arriving back on Earth two years later, he again took up the reins of his evil empire and set about blackmailing major governments – this time, by threatening to destroy Washington DC using a moon-based laser system.

In order to prevent Austin Powers confounding his plans, he stole Austin Power's mojo, thus rendering Britain's greatest agent useless.

Having missed thirty years of popular culture, Dr. Evil occasionally embarrassed himself by making accidental references to things he had missed. His naming of his moon-base the 'Death Star' and his laser system 'The Alan Parsons Project' drew derision from his son Scott, who had seen *Star Wars* repeatedly and held progressive rock in contempt.

Dr. Evil had believed that Scott had been created via artificial insemination using some of Dr. Evil's DNA, but he later found out that Scott was actually the result of a brief fling Dr. Evil had with his assistant, Frau Farbissina.

Whilst Dr. Evil had been frozen, his 'Evil Cabinet' had cloned him using the DNA he had left behind. The result was a copy of Dr. Evil, complete in every detail except that it was one-eighth the size. Dr. Evil called the clone 'Mini-Me', and grew more attached to it than to his son Scott.

Dr. Evil: 'It's how we drink it in Belgium. It's called a Belgian dip.'

'Don't mess with me – I'm one crazy mofo. I had to pop a cop cuz he wasn't giving me my props in Oaktown.'

DR. EVIL

'Look, we talked about this. We promised each other it wouldn't get weird. I can't let my feelings for you interfere with my taking over the world, you know that.'

'My dad's the head of a world-wide organisation that has aspirations for world domination.'

SCOTT EVIL

'I've been a frickin' evil doctor for thirty frickin' years, OK? Cut me some frickin' slack.'

DR. EVIL

Dr. Evil: 'I'm the princess of Canada. Although I can't officially back that up with paperwork.'

Remote control chair

Controls for chair: turn, tilt, raise, spin randomly around to cause nausea

Further remote controls for the Evil Moon Unit

He designs all his quasi-futuristic costumes himself, you know

Dr. Evil: 'Austin, I am your father!'
Austin Powers: 'Really?'
Dr. Evil: 'No. I can't back that up.'

Tight stockings to prevent space-thrombosis

Felicity Shagwell

FELICITY SHAGWELL is a CIA agent on loan to British Intelligence. She joined forces with Austin Powers when he returned to 1969 in search of his stolen mojo. Already waiting at his swinger's pad, she rescued him from Dr. Evil's assassins and drove him away to safety.

Felicity drives a Ford Mustang distinctively resprayed with a Stars-and-Stripes pattern, matching Austin's Union Jack Shaguar. She drives fast and hard, just the way Austin likes it.

Felicity believes in equality for men and women – and that means equality in all things, including the right to shag whoever you want, wherever you want. She is perfectly prepared to use her body to further her aims, even to the extent of shagging Dr. Evil's grossly fat agent Fat Bastard in order to get information on Dr. Evil's location.

Nervous at the idea of romantic entanglements or anything more than a one-night-stand, Felicity found herself attracted to Austin Powers as more than just a sexual partner. With Austin's mojo stolen, and with him unable or unwilling to do 'the mummy-daddy dance' (as he put it) she had fun with him, enjoying his ridiculous sense of humour and seeing the sights of London with him.

Although she found it difficult to admit, Felicity had secretly had a crush on Austin Powers since she was young. She studied his background, his methods and his accomplishments, and eventually joined the CIA so she could become a spy just like him. She even arranged to be transferred to London so that she could meet him, although by that time he had been frozen and she had to wait until he travelled back in time from 1999 to 1969.

'*I shagged him. I shagged him rotten.*'
FELICITY SHAGWELL

Co-ordinating female symbol medallion

Well-oiled zip

Ripcord – one yank and everything falls off

Kinky boots

'*Felicity Shagwell by name, shag very well by reputation.*'
FELICITY SHAGWELL

44

Felicity: 'Care for a ride?'
Austin: 'I'd love a ride, baby, but don't I need to get in the car first?'
Felicity: 'Oh behave!'

During their climactic attack on Dr. Evil's moonbase, Felicity was captured and imprisoned in a glass tube. Faced with the choice of saving Felicity or saving the world, Austin Powers saved the world, and Felicity died when Dr. Evil pumped poisonous gas into the tube. Realising that he loved her, Austin Powers used Dr. Evil's time travel device to go back ten minutes in time and rescued Felicity while his past self saved the world.

Felicity time-travelled from 1969 to 1999 in order to stay with Austin Powers. They spent a few happy years together, but Felicity eventually realised that Austin's heart still belonged to the late Vanessa Kensington. The two of them split up and went their separate ways, although Felicity stayed in what was actually her own future, as many of the feminist battles she had been fighting had already been won.

Felicity has a plan to get past the Single Inept Guard – she flashes her jubblies at him, and he falls in the magma.

Mini-Me

Scott Evil: 'He's crazy! He wants to kill me! He's so totally evil!'
Dr. Evil: 'I know. He makes me so proud.'

WORRIED ABOUT the possibility that Dr. Evil might die while in cryogenic suspension in space, his sidekicks hatched a plan to ensure that part of him would always live on. Using Dr. Evil's own DNA, along with an accelerated ageing process, they developed a clone of Dr. Evil, perfect in every detail. Every detail except size – for the clone was only one-eighth of Dr. Evil's size.

'Breathtaking. I shall call him... Mini-Me.'

Dr. Evil

Mini-Me displayed many of Dr. Evil's own characteristics. He was similarly bald, he had a similar scar on his face and he adopted many of the same habits. He dressed in the same clothes – scaled down, of course – and he even adopted a very similar cat to the one Dr. Evil owned. He called it Mini Mr. Bigglesworth.

Scott Evil, Dr. Evil's son, and Mini-Me soon became locked in a battle for Dr. Evil's approval. Scott felt threatened by Mini-Me, and with good reason. The tiny clone tried to tip Scott's chair into a fiery pit, made faces at him behind Dr. Evil's back, drew nasty pictures of him and put a dead skunk in his bed.

Mini-Me was the first and last product of the cloning programme. Not only was he smaller than expected, he was also aggressive and sulky to boot. As well as his antipathy towards Scott Evil, he also displayed a vicious temper towards Dr. Evil's Number Two – Number Two – growling at him and biting him whenever possible.

During Austin Powers's assault on Dr. Evil's moonbase fortress in 1969, Austin mistook Mini-Me's silhouette for that of Dr. Evil, and attacked him. During the ensuing battle, Mini-Me wriggled inside Austin's spacesuit and writhed around like a ferret inside a pair of trousers. Eventually, Austin had to expel him into vacuum through a rip in the spacesuit's seams.

Do you think he gives off a creepy Oompa-Loompa vibe?

'Oh, I can't stay mad at you. Look at that Punum!'

All evil genius lairs are required to have weird slow modes of transport. At least this one has a frickin' bell.

'He's tiny! I've had bigger chunks of corn in mah crap... it gives me the willies.'

FAT BASTARD

Dr. Evil's Time Machine

KEY TO Dr. Evil's plan to steal Austin Powers's mojo, or life force, was his time machine. Whilst the time machine developed by the British Government was portable, and built into a car which could then travel anywhere in time, Dr. Evil's was immobile and required two portals – one in each time period.

Dr. Evil first developed his time portal in the mid-1960s, before he was frozen for thirty years. His diligent team of evil henchmen, lead by Number Two, ensured that one portal was installed in the volcano lair they were building for him on a small Caribbean island, and another portal was transported to the moon and installed in the moonbase that was taking shape there – all part of his grand plan to blackmail the United States of America.

Dr. Evil sent his orders back in time through the time portal, from 1999 to around 1968. Based on those orders, Number Two ensured that everything was prepared for Dr. Evil's arrival.

> ## 'If you have a Time Machine why not just go back and kill Austin Powers when he's on the crapper, or something?'
> SCOTT EVIL

> ## 'Ladies and gentlemen, I've developed a device for travelling through time, which I call a "Time Machine".'
> DR. EVIL

Usually it's the evil villain's troops who wear the bizarre jumpsuits...

48

DESTINATION:
1969

M.O.D. Time Travel Hangar

SEVERAL MILES outside London, England, in an unremarkable hangar far from the nearest town or village, the Ministry of Defence Special Projects Team is housed.

The hangar is so large that specially designed cars are needed to get round it. It is actually the biggest room in the world – dwarfing anything that NASA has to offer – but, as only thirty-eight people actually know of its existence (including the Prime Minister and the Queen), it will never actually make it into the Guinness Book of Records.

The MOD's time travel experiments began small, using Matchbox models of cars, but pretty soon they began to design cars

See, he's not really used to an automatic. Plus the whole point of being a secret agent is getting to break all the toys.

around the time travel equipment. The new Volkswagen design was a spin-off from this research, although all records of this fact have been suppressed.

The sheer size of the hangar is one of its most important assets. Although 99% of it is completely empty, the time-travelling cars designed by the MOD require a run-up of several hundred yards before their abilities come into play.

'This is smashing, Basil. I'll go back to the Sixties, recharge my mojo, defeat Dr. Evil and be back in time for tea.'

AUSTIN POWERS

Austin's Shag Pad

AUSTIN'S HOME before he was frozen in 1967, his 'shag pad' was a converted loft space above London's coolest, hippest shopping area – Carnaby Street.

The shag pad was home to a party that never stopped. In fact, the party continued on for another two years after Austin was frozen, and only wound down when he returned from the future and threw everyone out, saying that he needed some sleep.

Austin's shag pad occupied a two-storey space, with a balcony running all the way round the inside (accessible via stairs or, for the gymnastic, firemen's poles). All the structural beams and supporting members were painted orange, the walls were painted red and the floor was a psychedelic rainbow whirl. Day-glo beanbags were placed around the walls and a giant, circular bed took pride of place beneath an Andy Warhol print of Austin himself. A glitter ball completed the sophisticated yet raunchy feeling.

Faced with the prospect of a sure-fire Shagwell shag – but without his mojo – Austin loses control.

'It's my happening, baby, and it freaks me out!'

AUSTIN POWERS

Although Austin's shag pad was designed for pleasure, it was also a place of work as well. Somewhere behind the lurid paint and the glitter, Austin kept a darkroom where he could develop his photographs.

Following his defrosting in 1997, Austin moved back into his shag pad. The Sixties design quickly began to grate on him, however, and he had it redesigned in a minimalist white style.

When he travels back from 1997 to the Sixties, Austin reappears in his penthouse shag pad (in a Volkswagen) to find the party in full swing.

'What do you think of my shag pad, baby?'

AUSTIN POWERS

Above: the lift – for when Austin wants to go down. Right: even though his teeth look like muddy surfboards again, the slinky Robin Swallows makes a beeline for Austin as he reappears in 1969. Sadly she is working for Dr. Evil and makes several concerted efforts to top him. But of *course* Austin escapes – he's the International Man of Mystery.

Young Number Two

HAVING ESCAPED from the fiery pit into which he had been dispatched by Dr. Evil, Number Two wormed his way back into his leader's good graces. Perhaps Dr. Evil was swayed by the history the two men shared – after all, they had been at the British Intelligence Academy together, and Number Two had managed all of Dr. Evil's affairs during the thirty years in which he had been frozen and orbiting the Earth.

Despite his abrupt fall from grace, Number Two still hankered for an honest business career. He firmly believed that the organisation could make more money from legitimate means – including the sudden boom in coffee culture in the Western world – than in complicated nuclear blackmail schemes.

When Dr. Evil travelled back in time to 1969 he found a younger version of Number Two who had not yet been corrupted by the taint of honesty. Young Number Two was sharper and much more prepared to go along with Dr. Evil's plan to destroy Washington DC with a moon-based laser. Young Number Two's only drawback was the sudden antipathy that sprang up between him and Dr. Evil's clone – Mini-Me.

Following the collapse of Dr. Evil's scheme, Young Number Two

Number Two: 'Dr Evil, several years ago we invested in a small Seattle-based coffee company. Today, Starbucks offers premium quality coffee at affordable prices. De-lish!!'

'You're prettier than most girls I've shagged. After you pretty boy... I wanna look at your arse. Looks like two eggs in a hanky... You don't even have an arse. I never had such tendencies but if I did you'd be on my list.'

FAT BASTARD

'Dr. Evil, wouldn't it be easier to use your knowledge of the future to play the stock market? We could literally make trillions!'

NUMBER TWO

'Why make trillions when we could make... billions?'

DR. EVIL

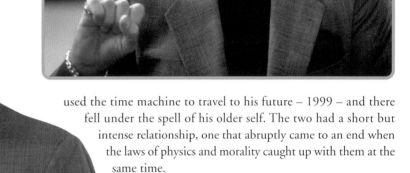

used the time machine to travel to his future – 1999 – and there fell under the spell of his older self. The two had a short but intense relationship, one that abruptly came to an end when the laws of physics and morality caught up with them at the same time.

Number Two tried to make friends with Mini-Me, but suffered as a result; it turns out the little feller is a biter.

International Man of Musi

Aᴜꜱᴛɪɴ POWERS'S musical tastes run towards music for swingers and lounge lizards (Burt Bacharach, Elvis Costello, Quincy Jones), but he does front his own electric psychedelic band – Ming Tea. They got their first break in the mid-60s.

Ming Tea's five members have remained constant over the years, from their first chaotic recording session, through the long years of Austin Powers's frozen absence, to their highly acclaimed reunion tour once he was unfrozen again.

Some of the better known tracks by Ming Tea include 'Daddy Wasn't There', 'BBC' and 'Psychedelic Wah-Wah Pedal Funky Drummer Beat'.

One huge downer for Austin upon his revival in modern time was finding out that many of his grooviest rock & roll friends had met their demise; some due to drug addiction, some rumoured to have fallen victim to a rogue ham sandwich.

Austin's Desert Island Discs choice was surprisingly small.

Ladies and gentlemen Mr Burt Bacharach!

'There's a sexual revolution, You can feel it in the air, People shaggin just like weasel And they just don't seem to care!'

Lʏʀɪᴄꜱ ʙʏ Aᴜꜱᴛɪɴ POWE

Austin liked to let his wedding tackle swing free when he danced.

Ladies and gentlemen I give you the one and only Ming Tea!

'BBC1!
BBC2!
BBC3!
BBC4!
BBC5!
BBC6!
BBC7!
BBC
Heaven!'

Lyrics to 'BBC', by Ming Tea

57

Dr. Evil's Volcano Lair

GRANDIOSE ISLAND LAIRS are a standard accessory for the master criminal who wants to be noticed. Construction costs are immense, of course, and access is usually difficult, but there's a certain social cachet that comes of having one. And although there are many islands waiting to be transformed into lairs, not many of them come complete with volcanoes which can be hollowed out and converted into a fully-equipped base of operations.

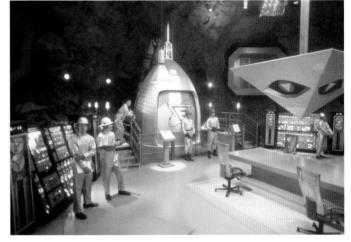

The control room is suspended over a pool of liquid hot magma – so don't drop anything over the rail.

It is a measure of Dr. Evil's arrogance that he had the entire western side of the volcano carved into a likeness of his face, complete with scar and raised little finger. The main operations room is located just behind the eyes of the carved face, which act as windows from which beautiful sunset views can be seen. Dr. Evil's master chair is located just about where the pituitary gland would be.

In order to avoid the tedium of dealing with innocent holidaymakers or shipwrecked sailors who inadvertently land on the island, warning signs have been posted along the shoreline. The wildlife on the island is unusual for the Caribbean.

The master control room of Dr. Evil's volcano headquarters is lined with beaten metal and comes with a conference table, which also converts into a bed (complete with black drapes). The entire control room, and the ancillary living quarters around it, are suspended above a pool of molten lava (which, through ingenious design, also supplies all of the hot water and central heating in the base).

Due to the sulphurous emissions of the volcano, the entire base smells terrible. Air fresheners have been hung up to try and mask the smell, but, as Fat Bastard once pointed out, 'now it smells like someone took a shite in a pine tree.'

The volcano base contains two examples of Dr. Evil's technological genius – a time portal, through which he travelled back from 1999 to 1969, and a rocket with which he and Mini-Me managed to reach the moon before Neil Armstrong.

'Ah, Mr. Powers, Ms Shagwell – welcome to my hollowed-out volcano.'

DR. EVIL

Embarrassingly, Austin and Felicity had both turned up in the same style of bikini.

KEEP OUT
DR. EVIL'S
PRIVATE
VOLCANO
ISLAND

NO SOLICITORS

Fat Bastard

FAT BASTARD is a freelance spy and agent of fortune who occasionally works for Dr. Evil. He's the incorrect weight for his height and he was born out of wedlock, hence the nickname. Fat Bastard's forthright manner and lack of social skills often mean that he causes offence, but he is, apparently, a skilled lover. He claims he has to be; given his size, it's the only way he can pull a bird.

Fat Bastard was sent back in time from 1999 to 1969 by Dr. Evil. His task was to act as an advance guard, infiltrating the British Ministry of Defence disguised as a Scottish soldier and determining where Austin Powers's frozen body was being stored. Once Dr. Evil had followed Fat Bastard back to 1969, the obese Celtic mercenary took the first opportunity to siphon off Austin Power's mojo and give it to his employer, then returned to 1999.

Austin's stolen mojo

Jacket specially tailored, sewing smaller jackets together

Special back pocket

Cellulite (lots of it)

McBastard tartan

Argyll socks

Fat Bastard may have links to the Scottish independence movement. He certainly has issues with the British and believes they have stolen Scotland's oil.

Felicity Shagwell managed to seduce Fat Bastard in London in 1969, and lured him back to her flat as part of a plan to place a bug on his person. She managed to introduce the bug successfully into an area that Fat Bastard would have trouble reaching, but she had to shag him first in order to get him undressed. And then afterwards as well, just so he didn't suspect anything. 'Ah'm dead sexy,' he told her later. 'You were crap.'

Fat Bastard will use any weapon that comes to hand, from a simple gun to a complicated set of bagpipes that emit knock-out gas. He can also use his vast bulk as a pretty effective weapon in its own right.

Fat Bastard often claims that his appetite is so vast that he once ate an entire baby. 'Ah'm bigger than you – ah'm higher up the food chain,' he says to Dr. Evil's miniature clone, mistaking him for a baby – 'get in ma belly!'

'He's a disgruntled Scottish guard known for his lethal temper and his unusual eating habits. He weighs a metric tonne. His name is Fat Bastard'

DR. EVIL

Fat Bastard: 'Special Delivery!'

'Let me ask you a question – are you happy?'

FELICITY SHAGWELL

'Of course I'm not happy. Look at me – I'm a big fat slob. I've got bigger titties than you do. I've got more chins than a Chinese phone book. I've nae seen ma willie in two years – which is long enough to declare it legally dead.'

FAT BASTARD

SORRY C FARTED.

Baby – the *other* other white meat…

61

MiNi Me

MINI-ME
Height: 32in/81.2cm
Favorite (only) word: Eeeee!
Favorite food: Chocolate, especially
                         Belgian chocolate
Defense mechanism: Sharp teeth
Genetic history: Clone of Dr. Evil

Scott, Evil Lite

SCOTT EVIL had only just managed to come to terms with the fact that his father was an evil psychotic who wanted to take over the world when Dr. Evil vanished once again from his life, having frozen himself in Earth's orbit. Dr. Evil was only gone for two years this time, but during that period Scott had become angry and rebellious, rather than just confused.

Scott Evil appears on an episode of The Jerry Springer Show called 'My Father Is Evil And Wants To Take Over The World'.

Scott followed his father back to 1969 in an attempt to patch things up, but he was distressed to find that Dr. Evil had already forged a semi-parental relationship with his diminutive clone – Mini-Me. Angry and confused, Scott retreated further into his shell.

Scott found his father's efforts to name his various evil projects laughable. Having been frozen for thirty years, Dr. Evil did not realise that he couldn't call his laser-firing moon base 'a Death Star' without people remembering *Star Wars*, and that naming the laser itself 'the Alan Parsons Project', after the physicist who invented it, would invite comparisons with the progressive rock group of the same name. When Scott tried to point this out, he was quickly 'shush'ed.

> '**I wanted to tell you, but I had to hold it inside. You are my love child with Dr. Evil!'**
>
> *FRAU FARBISSINA*

Scott and Mini-Me shared an instant antipathy towards one another. Mini-Me made several attempts on Scott's life, and Dr. Evil did little to stop him. It was clear which one of them he preferred.

However, it was live, on national television, that Scott Evil learned the truth about his upbringing. Rather than being a test-tube baby, conceived in a laboratory, as he had thought, Scott was actually the naturally born result of a sexual liaison between Dr. Evil and Frau Farbissina. Having lost the respect and love of his father, at least he had his mother to look after him.

> '**I can't believe you'd do this to me on national television!'**
>
> *SCOTT EVIL*

> '**I only came on the show as a platform to voice my aspirations for world domination.'**
>
> *DR. EVIL*

> *Scott:* 'You're going to leave them alone with one inept guard. They'll escape. You do this every time!'
> *Dr. Evil:* 'You forget that we're in a volcano, Scott. They're surrounded by liquid hot magma. I've been a evil frickin' doctor for thirty frickin' years, OK, so cut me some frickin' slack.'

Dr. Evil: 'Scott, daddy's working okay? And when you're in the main chamber, try using your big boy voice.'

'You're not quite evil enough. You're quasi-evil, you're semi-vil. You're the margarine of evil, u're the Diet Coke of evil – just one calorie not evil enough.'

DR. EVIL

Because the laws of comic effect are more powerful than the laws of nature, skunks can be found way, way outside their natural habitat – on remote volcanic islands in the Caribbean, for instance.

Dr. Evil's Femmes Fatales

KNOWING THAT Austin Powers can be easily diverted by a pretty face, Dr. Evil has often recruited beautiful women to distract him, disarm him and even try to kill him. Austin Powers has, in turn, often attempted to seduce the women who work for Dr. Evil in order to get information out of them. It's very much a tit-for-tat arrangement.

Alotta Fagina worked as Number Two's confidential secretary for a number of years. Through him she got to know almost as much about Dr. Evil's plans as Dr. Evil did himself.

Alotta Fagina drugged and seduced Austin Powers on behalf of Dr. Evil, but had trouble bringing herself to sleep with Britain's top secret agent on account of the state of his teeth. She tried to stop Austin by threatening to kill Vanessa Kensington, but plucky Vanessa managed to judo-chop her way out of danger.

The Russian super-model Ivana Humpalot worked as one of Dr. Evil's agents, and also attempted to seduce Austin. This caused him a lot of distress when he suddenly discovered his mojo was missing.

Having travelled back to 1969 in search of his stolen mojo, Austin came across the dangerous Robin Swallows (neé Spitz). She attempted to stop him from meeting up with CIA agent Felicity Shagwell. When that plan failed, she orchestrated a murderous attack on Austin which involved knives, pistols, machine guns, cars and bazookas (not hers). Luckily Austin managed to save himself by repeatedly sheltering behind Robin. She ended up full of more holes than a broken sieve, and smudged her lipstick.

Basil Exposition: 'You're scheduled for a photoshoot, and one of the models works for Dr. Evil.'

'Let's make love, you silly, hairy little man.'

ALOTTA FAGINA

Number Two: 'This is my Italian confidential secretary – Alotta Fagina.'

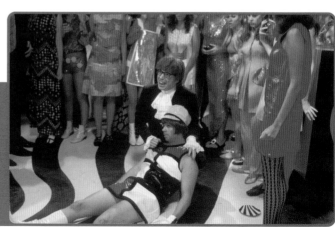

Austin Powers: 'That ain't no woman – it's a man, man! It's one of Dr. Evil's assassins!'

Alotta Fagina: 'In Japan, men come first and women come second.'
Austin Powers: 'Or sometimes not at all.'

'You are hairy like animal! Make love to me, monkey man.'

IVANA HUMPALOTT

r Powers, do you swing?'
ROBIN SWALLOWS
re you kidding? I put the grrr" in swinger, baby!'
AUSTIN POWERS

The Alan Parsons Project

MANY OF Dr. Evil's plans to blackmail world leaders involved space or satellites of some kind. His scheme to build a base upon the moon and from there rain fiery death upon humanity was no exception.

Dr. Evil: 'Okay Mini-Me, why don't you and the laser get a frickin' room?'

The building of a moonbase and the equipping of that moonbase with a massive laser system was all the more impressive when one considers that Dr. Evil's team accomplished the whole thing in 1969 – shortly before man's first recorded landing on the moon. In fact, it was advanced 1990s technology, sent back in time by Dr. Evil, that enabled Number Two and Frau Farbissina to reach the moon before Neil Armstrong.

The Alan Parsons Project was the key to Dr. Evil's scheme. A massive laser system, consisting of a gimballed barrel surrounded by a supercooled coil, it could be aimed at any spot on the Earth and fired. The actual firing was done by Frau Farbissina, dressed in a flying helmet and goggles and sitting in what appears to be an anti-aircraft gunner's seat.

Dr. Evil's moonbase was destroyed, and The Alan Parsons Project with it, when Dr. Evil triggered the self-destruct system in yet another attempt to kill Austin Powers.

'I'm sure Operation Bananarama will be huge.'
SCOTT EVIL

'You see, I've turned the moon into what I like to call a "Death Star".'
DR. EVIL

Dr. Evil: 'Ladies and gentlemen, we're about to begin phase two of our evil project. Or is it phase three? I don't know phases.'

Dr. Evil's moonbase technicians working on the laser system while wearing fencing masks. What's that all about, then?

Evil Moon Unit

D R. EVIL'S moonbase was constructed during the late-1960s, whilst Dr. Evil himself was in frozen sleep orbiting the Earth. Fleets of rockets travelled from the Earth to the moon, ferrying all the items necessary to sustain life in the cold, airless location that Dr. Evil had chosen as the staging post for his threats to destroy Washington DC. And all this before Neil Armstrong ever set foot on the moon.

The moonbase was constructed within one of the lunar peaks, which was hollowed out using high explosives and large shovels. The hollow peak was made airtight and pumped full of an oxygen/nitrogen mix. Apart from internal supporting members, little attempt was made to disguise the rocky walls.

The moonbase is oriented along an axis between two points – the landing pad for the rocket fleet, and the master control room containing the time portal and The Alan Parsons Project – the massive laser with which Dr. Evil would blackmail the President of the United States of America.

He may be small, but he's strong and vicious and he fights dirty. And Mini-Me isn't a saint either.

Dr. Evil: 'Okay – sick as a dog now. Gonna vom.'

Once the time portal was established within the hollowed-out moon peak, Dr. Evil used it to send the Alan Parsons Project back in time, from 1999 to 1969. Technology in 1969 was not up to the task of constructing such a device.

Also included in the design of Dr. Evil's moon base is an airtight tube which can be filled with poison gas at the touch of a button. The chances of Dr. Evil ever having the chance to use the tube in anger were thought to be slight at the time it was built, but Dr. Evil's foresight was proven when he managed to use the tube to kill Felicity Shagwell and thus distract Austin Powers for a few critical moments.

The waste disposal facilities are located half-way between the rocket pads and the main control room in the moon base. Storage and disposal of bodily wastes is a tricky problem in space, and Dr. Evil's design team solved the problem by allowing the waste products to be sucked out into the cold vacuum, where no-one would care.

'You've all been chosen to be part of my Elite Moon Unit, which is divided into two divisions: Moon Unit Alpha and Moon Unit Zappa.'

DR. EVIL

Austin Powers in Goldmember

DURING Dr. Evil's exile in space, Number Two went back to the drawing board to launder the evil empire called Virtucon into a 'legitimate' business – a Hollywood talent agency.

Since his plans for Preparation(s) A through G had failed, Dr. Evil decided to push on with his next plan, Preparation H. Dr. Evil explains to his loyal followers that he plans to travel back in time to 1975 and locate a Dutch scientist named Johann Van Der Smut. The roller boogie-ing Van Der Smut had an intense love for tight shorts, 70's pop culture and most of all, gold. His love of gold was so extreme that he lost his genitalia in an unfortunate smelting accident, hence coining his new moniker, Goldmember. Goldmember had designed a cold fusion tractor beam with which to attract meteorites towards the Earth but the technology in 1975 was not advanced enough for him to be able to build it. Once Goldmember was brought to 2002, Dr. Evil would be able use the tractor beam to attract the asteroid Midas 22 (constructed entirely of gold) to Earth.

Just when he thinks he is at the helm of a brand new evil plan, Dr. Evil is captured by Austin Powers before he can put his plan into operation, and is sentenced to 400 years in prison by the World Organisation.

For his latest acts of heroism, Austin Powers is knighted by the Queen. As he steps forward to receive this honor, he looks over his shoulder at all who have gathered to witness this tremendous event. Much to his dismay, he sees that his father's chair remains empty, still 'Reserved for Nigel Powers'. Unfortunately, his father's absence is not a new occurrence for Austin. Upon seeing Austin call to his father's empty chair, the room erupts in gales of laughter. A despondent Austin drowns his sorrows, performing a rocking set of tunes back at his shag pad. 'Daddy Wasn't There' is a huge hit with the crowd of Austin groupies.

During the party, Basil Exposition shows up and informs Austin that his father has been kidnapped from his private yacht, the *HMS Shag-at-Sea*. The only clue is that the Royal Navy sailors who were guarding Nigel Powers now have what Austin can only call 'Golden wedding tackle, gilded tallywackers… 14-carat trouser snakes…' – the calling card of the criminal mastermind known as Goldmember!

In their first face off since Dr. Evil's incarceration, Austin visits Dr Evil in Geneva, where he is being held under maximum security, to ask for information about Goldmember. In a quid pro quo tactic, Dr. Evil tells Austin, 'I'll give you Goldmember and you give me a transfer to a regular prison where I can be with my beloved Mini-Me.'

Dr. Evil reveals that Nigel Powers has been kidnapped by Goldmember and hidden in 1975 – twenty-seven years ago.

Austin travels back in time using Basil Exposition's time travelling equipment – a Pimpmobile – and

Dr. Evil's last scheme involved the moon. This one involves a moon – from Mini-Me.

> ## 'You have the right to remain sexy, sugar.'
> *FOXXY CLEOPATRA*

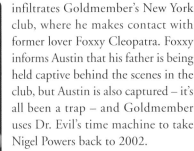

infiltrates Goldmember's New York club, where he makes contact with former lover Foxxy Cleopatra. Foxxy informs Austin that his father is being held captive behind the scenes in the club, but Austin is also captured – it's all been a trap – and Goldmember uses Dr. Evil's time machine to take Nigel Powers back to 2002.

Austin returns to 2002, accompanied by Foxxy Cleopatra, but as he does so, Dr. Evil escapes from prison.

Austin discovers from Basil – who has a mole in Dr. Evil's organisation – that Dr. Evil and Goldmember are in cahoots and Dr. Evil's base is near Tokyo. Their plan is to attract the meteor Midas 22 to Earth and use the heat of its impact to melt the polar ice cap.

Austin and Foxxy rescue Nigel from Roboto Industries, which has built the Preparation H tractor beam, but Dr. Evil and Goldmember escape with the technology.

Discovering that he has been replaced in Dr. Evil's affections by Scott Evil, Mini-Me defects to the good guys and leads Austin and his dad to Dr. Evil's submarine in Tokyo harbour. Dr. Evil, meanwhile, demonstrates the awesome power of his tractor beam by dragging an American satellite to Earth and stating that he will melt the ice cap unless paid one hundred trillion yen.

Austin, Foxxy and Mini-Me infiltrate Dr. Evil's submarine lair and confront him. Dramatically, Nigel Powers reveals that he is Dr. Evil's father! He embraces his two sons and everyone is choked with emotion – except Goldmember, who is determined to complete the evil plan. Austin and his long-lost brother – 'Dougie' – combine forces, and together they reverse Preparation H's magnetic field, flinging the Midas 22 meteor back into space and electrocuting Goldmember by his own golden member.

Austin, Foxxy, Dougie Evil and Mini-Me head back to Hollywood to enjoy the premiere of *Austinpussy* – a star-studded film of Austin's exploits – while Scott Evil is left to take control of Dr. Evil's organisation…

Young Austin Rules!

AFTER HIS defeats of Dr. Evil and his numerous henchmen, Austin Powers is living the high life – being a true international man of mystery, cavorting with Hollywood royalty, out and about all over town, until danger surfaces once more. It's simple, really. Dr. Evil is becoming careless in his evil ways… being in space for so long, no one ever gives him a proper frickin' update. Needless to say, he leaves himself wide open for Austin's capture, and finds himself incarcerated. What Austin doesn't know is that he'll have to go inside the head of this lazy-eyed psycho to save his estranged father.

This 'time travel' around, Austin switches gears from the groovy 60s to the funkadelic 70s where he meets up with his old gal pal, the sultry Foxxy Cleopatra to rescue his father from the naughty clutches of the Dutch Roller Boogie King of Disco, Goldmember.

Austin seeks advice from his old nemesis, Dr. Evil. Old nemesis and one-time schoolmate, for they had both been at British Intelligence Academy together in 1957. Dr. Evil (then Master Evil) had been the front-runner for the International Man of Mystery award, but Austin had narrowly beaten him to it. The antipathy between the two men dates from that day.

Austin travels back to 1975, where his father was held hostage by super criminal Goldmember, then follows them back to present day Tokyo, where Goldmember and Dr. Evil are collaborating on a plot that might just destroy the world…

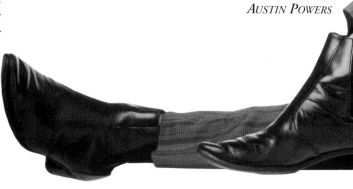

'Well, you might be a cunning linguist, but I'm a master debater.'

AUSTIN POWERS

'I don't really like to use gadgets – outside the bedroom!'

AUSTIN POWERS

British Intelligence Academy

THE BRITISH Intelligence Academy is based in an ancient manor house in rural England. Its sole purpose is to educate the next generation of spies and secret agents.

The class of 1958 was one of the more interesting ones to have matriculated from the British Intelligence Academy. Austin Powers, Master Evil, Basil Exposition and Number Two all studied together, and their later careers were all intertwined in ways that they might not have believed possible at the time.

The supreme accolade that the Academy can bestow on its most successful pupils is the International Man of Mystery Award. Nigel Powers won it, and years later so did his son Austin – much to Master Evil's annoyance, as he had the best grades. Sadly Nigel wasn't there to see Austin receive the award.

'Stand up Dad! ... Daddy?'

YOUNG AUSTIN POWERS

Poor eyesight inherited from father

Thick luxuriant hair

Gob full of great big teeth

Simian chest hair

Fully functional mojo

Young Master Evil, just about to discover that he's been accepted into Evil Medical School.

'Boo-frickety-hoo. I had the best grades in the class, and I didn't get diddly-squat.'

DR. EVIL

The crest of the British Intelligence Academy, flanked by portraits of previous International Men of Mystery.

French Mistress: 'Don't forget, Master Powers, later you have a brief oral exam…'
Young Austin Powers : 'Well, I hope it's mostly oral and not too brief!'

Dougie Evil

Dr. Evil: 'I can't believe I got caught in the first

RETURNING YET AGAIN from deep space, Dr. Evil takes control of his evil organisation and sets in chain a plan to draw a golden meteorite towards the Earth. Before he can put his plan into effect his schemes are scotched by Austin Powers.

Dr. Evil is sentenced to 400 years imprisonment by the World Court. Initially he is placed in high security solitary confinement, but following the help he gives to Austin Powers in finding Austin's kidnapped father he is moved to a lower security prison and reunited with his diminutive clone, Mini-Me.

Dr. Evil and Austin Powers were originally at British Intelligence Academy together, along with Basil Exposition and Number Two. Master Evil shared a room with Austin Powers.

Whilst in prison, Dr. Evil manages to unite the various factions into one cohesive gang and, while they fake a riot, he escapes, using a key smuggled into him by Frau Farbissina – his former lover and the mother of his son Scott.

Dr. Evil was orphaned at an early age following the car explosion that killed his parents. Adopted by a Belgian man and his fifteen-year-old love slave, he was brought up by them to be evil.

Following his escape from prison, Dr. Evil takes up where he left off with his scheme to pull the Midas 22 meteorite to Earth. This time he has a refinement – the meteorite will crash into the North Pole, melting it and flooding the world unless he is paid a vast sum of money by the World Organisation.

Dr. Evil discovered that his son Scott, who had been running the evil organisation whilst he was in prison, had grown to be even more evil than him. More surprising is the revelation that Dr. Evil's father did *not* die in the explosion, and was in fact Nigel Powers. Austin is his brother, and Evil's first name is in fact Dougie. Turning against Scott, Dr. Evil sabotages his own evil plan and basks in the love of his 'new' family.

'I was adopted by frickin' Belgians for God's sake.'

DR. EVIL

78

'D to the Rizzo, E to the Vizzo, I to the lizzo'

Dr. Evil's prison rap

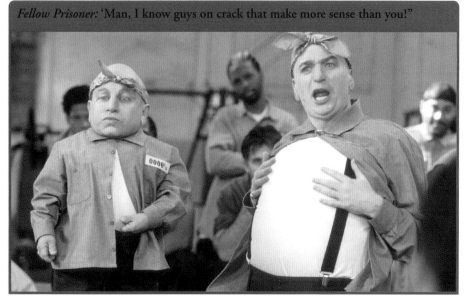

Fellow Prisoner: 'Man, I know guys on crack that make more sense than you!"

Austin Powers: 'Whoever kidnapped my father is a criminal mastermind, and there's only one person who truly understands the psychology of a madman – Dr. Evil!'

Austin Powers: 'Quick – how do we stop Goldmember?'
Dr. Evil: 'I'm not really a "hands-on" evil genius.'

Foxxy Cleopatra

Foxxy CLEOPATRA is a sassy FBI agent working out of New York in the 1970s. Working undercover as a singer/disco dancer in some of New York's hottest night spots, Foxxy penetrates her way through the scene to weed out the usual jive turkeys. Now she's back with a vengeance, working on her most important case to date: to put an end to the criminal mastermind with psychotic delusions of grandeur and flaking skin who 'offed' her partner – Goldmember.

How does she fit the Afro in that wetsuit?

Foxxy and Austin Powers had a relationship back in 1967, while Austin was on a mission in America. When Austin was frozen, in pursuit of Dr. Evil, Foxxy assumed that he had forgotten about her. But she never forgot about him. The fact that he showed up all those years later earned him a slap in the kisser.

Foxxy forgave him for disappearing without a word, and helped him escape an attack from Goldmember's gold-clad henchwomen. She then time-travelled to 2002 with Austin Powers to stop Goldmember and Dr. Evil from threatening the world.

'You've got a lot of nerve, dragging your jive white ass in here.'

FOXXY CLEOPATRA

Expanding Afro –
good for hiding
weapons,
microfilm, etc.

Trademark
Foxxy huge
hoop earring
with fox head

Tells how a
woman should
smell

Trademark
Foxxy
necklace

Trademark
Foxxy belt buckle

'Well, the future better get ready for me, because I'm Foxxy Cleopatra and I'm a whole lotta woman!'

FOXXY CLEOPATRA

Foxxy Cleopatra: 'All I know is that momma got a taste of honey, but she wanted the whole beehive.'
Austin Powers: 'Oh beehive!'

When Austin told her that she was a dish, Foxxy took him a little too literally.

FOXXY'S HAIR

Foxxy Cleopatra always stays fashionable as she travels through time, thanks to her remarkably adaptable barnet.

Goldmember

A NATIVE OF Holland, the master criminal known as Goldmember was originally named Johann Van Der Smut. Trained as a metallurgist, he became obsessed with gold, to the point where his 'meat and two veg' (to quote Austin Powers) became gold plated during a freak smelting accident.

Goldmember: 'Oh that's a keeper.'

Goldmember's one over-riding obsession was the meteor Midas 22. Made entirely of gold, the meteor tantalised him, forever just beyond his reach. Determined to possess the largest chunk of gold in existence, Goldmember invented a 'tractor beam' in the mid-1970s that could pull the meteor to the Earth's surface.

Who remembers the 70s? The music... the roller-skates... the fashions... It was heaven just to be alive.

Goldmember's plan to obtain the Midas 22 meteor had one fundamental flaw – although his designs for the tractor beam and its power-source were workable, the technology did not exist to build them. Realising this, Dr. Evil travelled back in time and offered a partnership – he would provide advanced 2002 technology if Goldmember would assist in a scheme to blackmail the world.

Goldmember: 'Dr. Evil, before you take him away, can I paint his yoo-hoo gold? It's kind of my thing.'
Dr. Evil: 'How 'bout NO, you crazy Dutch bastard?'

Goldmember is an athletic disco-diva whose preferred clothes are spangly and snug in all the right places. He owns the Studio 69 club in New York (on the corner of 68th and 8th), where he regularly puts on demonstrations of his roller-disco skills.

With his freaky-deaky Dutch accent and an odd obsession with the idea of 'shmokes' and Dutch delicacies, Goldmember frequently flies into fits of sputtering 70s pop culture references.

Disgusted that Dr. Evil turns out to be not so evil, Goldmember hijacks the Preparation H tractor beam. Fortunately for the world, Austin Powers and Dr. Evil team up and manage to electrocute Goldmember by passing millions of volts through his golden 'tallywacker' (to quote Austin Powers).

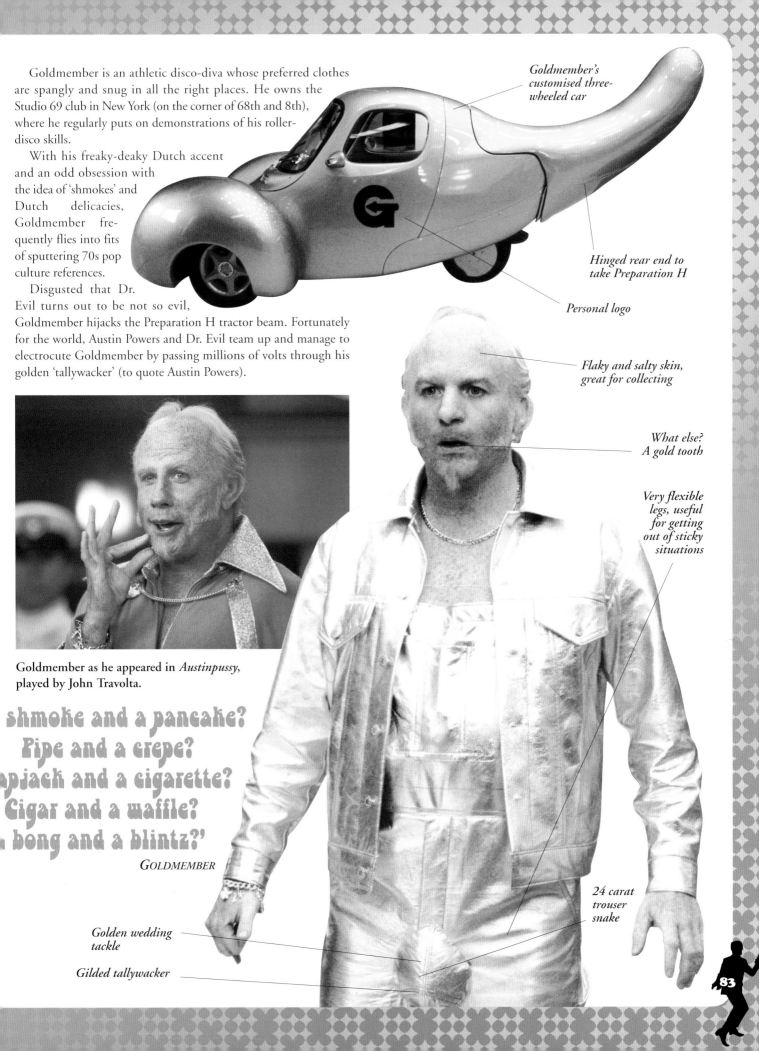

Goldmember's customised three-wheeled car

Hinged rear end to take Preparation H

Personal logo

Flaky and salty skin, great for collecting

What else? A gold tooth

Very flexible legs, useful for getting out of sticky situations

24 carat trouser snake

Golden wedding tackle

Gilded tallywacker

Goldmember as he appeared in *Austinpussy*, played by John Travolta.

shmoke and a pancake? Pipe and a crepe? apjack and a cigarette? Cigar and a waffle? bong and a blintz?'
GOLDMEMBER

83

Studio 69

On THE CORNER OF 68th and 8th in Manhattan stands a club that once was at the pinnacle of the disco movement. Studio 69 was where disco started and where it died, where the crazes and fashions and fads were invented, where the music blurred into the lifestyle and the lifestyle became the music.

The club's décor was gold. Everything was either made of gold, plated in gold or painted gold. Even the drinks had tiny gold flakes floating in them – don't ask where those came from…

Behind the scenes, the golden theme continued. Goldmember was obsessed with the stuff, to the point where he had become a master criminal, stealing all the gold he could get his hands on and allying himself with Dr. Evil to get more. Goldmember's office has a round bed in a revolving alcove, where Nigel Powers is held comfortably captive by Goldmember's henchwomen.

'I am from Holland – isn't that weird?'
GOLDMEMBER

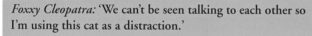

Foxxy Cleopatra: 'We can't be seen talking to each other so I'm using this cat as a distraction.'

'Welcome to Studio 69, Austin Powers. Excuse me while I change the roller boogie has made me shweaty.'
GOLDMEMBER

84

Foxxy Cleopatra: 'He had the Midas touch, but he touched it too much. Hey Goldmember!'

'That's the way – uh huh, uh huh – I like it ...
K.C. and the Sunshine Band.'

GOLDMEMBER

Frau Farbissina

FRAU FARBISSINA has been one of Dr. Evil's chief advisors for almost as long as he has been trying to take over the world. She was with him in 1967 when he froze himself to escape Austin Powers, and she was there in 1997 when he was unfrozen again. There is nowhere Frau Farbissina would rather be than by Dr. Evil's side. Or perhaps nobody else would have her.

It was Frau Farbissina's technical skill and twisted genius that led to the creation of the Fembots – metallic parodies of femininity designed with one purpose in mind – to kill Austin Powers.

Golfing is one of Frau Farbissina's few outside interests – outside stealing nuclear weapons and blackmailing the world. It was on the LPGA golf tour that she met the woman with whom she was to forge a close emotional relationship – the German golfer Una Brau.

What Frau Farbissina never revealed was that in 1969 she and a version of Dr. Evil from the future had shared a brief romantic interlude. Dr. Evil had drunk some of Austin Powers's mojo, and temporarily shared Austin's infallible ability to seduce women.

Frau Farbissina was in charge of collecting and guarding Dr. Evil's semen during his deep freeze in space. Years later, the emergence of Scott Evil brought about a great deal of speculation over whom his actual mother was. Was it test tube or Frau Farbissina?

Following Dr. Evil's capture by Austin Powers, Frau Farbissina visited Dr. Evil in jail and smuggled him in a key with which he could escape.

'Frau Farbissina – founder of the militant wing of the Salvation Army.'
DR. EVIL

Stern v

Tight li

Stern cl

Stern pos

Strong vocal cords from screaming orders at henchmen

Surprisingly gentle hands

FRAU'S LOOK

Over the years Frau has stayed remarkably well-preserved. Being an evil henchwoman obviously does her good.

1967   1969   1997   2002

Frau Farbissina: 'Send in the Fembots!'

Frau Farbissina: 'I have come to embrace the love that dare not speak its name.'

'You know I'll never love another man again.'
FRAU FARBISSINA

'Yes, that's true...'
DR. EVIL

Dr. Evil: 'Nothing compares to this, being trapped in the belly of the beast night after night... Daddy's all pent up – Let's Freak!'

Daddy Wasn't There

FOR HIS EFFORTS in continually and consistently saving the world from Dr. Evil, Austin Powers was invited to Buckingham Palace by the Queen. She presented him with an array of medals then, to cap it all, he was also knighted, becoming Sir Austin Powers.

The investiture ceremony was held at Buckingham Palace, amid the pomp and finery of British Royalty.

Despite having promised his son that he would be there, Nigel Powers failed to attend. He had a history of failing to turn up for his son's proudest moments, having also missed the International Man of Mystery award ceremony in 1958.

Disappointed at his father's absence, Austin joined the party back at his shag pad, performed with his band and managed to meet Japanese fans. Before you can say, 'Threesome with Japanese Twins' Basil Exposition bursts in the room, informing him that his father was missing – presumed kidnapped.

The audience's laughter reminded Austin of his father's absence at his school award ceremony.

'Daddy!
Daddy wasn't there,
To take me to the fair,
It seems he doesn't care,
Daddy wasn't there!'

'Daddy Wasn't There' by Ming Tea

TV Announcer: 'Austin Powers, son of England's most famous spy – Nigel Powers – will be knighted by the Queen at Buckingham Palace.'

Nigel Powers

Nigel Powers: 'It's not the size, mate, it's how you use it!'

ONE OF British Intelligence's most capable agents, Nigel 'Adventure' Powers is legendary amongst villains and their henchmen world-wide. A well-travelled bon-vivant and man about town, his affable charm and cheeky wit disarm the opposition even before he starts to hit them.

Nigel Powers was voted International Man of Mystery by the British Intelligence College in 1944, eighteen years before his son Austin was honoured with the same award. He became one of Basil Exposition's best agents, and he was the inspiration behind Austin Power's becoming a spy.

While his son lived it up amongst the swinging psychedelic set, becoming famous as a fashion photographer and with his band, Ming Tea, Nigel Powers preferred to spend his time quietly enjoying himself with many female companions aboard his yacht, the *HMS Shag-At-Sea*.

Following a long and successful career as an International Man of Mystery, Nigel Powers was kidnapped in 2002 by Dr. Evil, transported back in time and hidden in a disco nightclub in New York belonging to Dutch archvillain Goldmember. While there, he managed to relax and enjoy himself with the bevy of beautiful henchwomen who were holding him captive.

There are only two things that Nigel Powers can't stand in the world – people who are intolerant of other people's cultures, and the Dutch. Nigel and Austin Powers share a secret language, known as English English, which allows them to talk without anyone who wasn't born within the sound of Bow Bells understanding what they are saying.

Despite their many physical and mental similarities, Nigel and Austin have always had problems getting on. All Austin has ever wanted is to gain his father's respect (that, and to shag Japanese twins), whereas Nigel can't abide whinging. Eventually they overcome their differences and admit their feelings.

'Don't you ever liquidate my son, understand?'

NIGEL POWERS

Nigel Powers: 'If you have an issue, here's a tissue!'

'Oh put those guns down. Is it your first day on the job or something? Here's how it goes, you attack me one at a time and I knock you out with just one punch.'

NIGEL POWERS

Not really stirred or shaken, so much as thrown together and slurped down before the glass gets wet

Trademark Powers teeth and glasses

Dapper dresser

Senior Swinger

Nigel is held captive in the Roboto laboratory and threatened with molten gold over the winky.

'Son, could you come back in, say, seven or eight minutes?'

NIGEL POWERS

Nigel gives his two sons, Austin and Dougie, a big hug.

Natty Threads, Austin!

AUSTIN POWERS is a true product of his decade, a 1960s man in thought, word, deed and paisley shirt. Having been unceremoniously thrust into the late 1990s, he has a lot of catching up to do. Fashions have changed and the market for flares has bell-bottomed out several times over the past thirty years. What sartorial delights has he missed? What fashion crimes have been committed in the interim? Can he remain a dedicated follower of fashion?

1999 Austin

2002 Austin

1975 Goldmember

1967 Austin

1975 Austin

1997 Dr. Evil

92

1975
Goldmember's
henchwomen

1969 Felicity
Shagwell

1997 Vanessa
Kensington

2002 Foxxy
Cleopatra

All drawings are
original production artwork.

Tokyo-a-gogo

ON THE SURFACE, Roboto Industries appears to be a successful Japanese firm specialising in high-tech machinery. Appearances can be deceptive, however, for Roboto Industries is actually one of the few firms completely dedicated to devising world blackmail plans for super-villains.

Roboto Industries provided Dr. Evil with costed designs, blueprints and circuit diagrams for Project Vulcan (a scheme to send a nuclear weapon to the Earth's core using an underground torpedo), the Alan Parsons Project (a scheme to destroy the world's cities using a laser based on the moon) and Preparation H (in which a meteorite was to be used to melt the polar ice cap).

Sadly for Roboto Industries, none of these schemes has ever actually been tried out for real, but were all foiled by Austin Powers before being put into action.

Failure to listen to the customer has been the undoing of many large companies, and Roboto Industries is no exception. Following his demand for more money from Dr. Evil for providing Preparation H, Mr. Roboto was unceremoniously dumped into a pool of sharks by Scott Evil.

Austin and Foxxy spot Mr. Roboto at the Asah
Sumo Arena, where Fat Bastard is competing

'Perhaps
I should
speak in
English.'
MR. ROBOTO

'I have a feeling Mr. Roboto is lying to us.'

AUSTIN POWERS

'Tell me something I don't know.'

FOXXY CLEOPATRA

'I open-mouth kissed a horse, once.'

AUSTIN POWERS

Japanese technical excellence comes face to face with British engineering.

Dr. Evil's Submarine Lair

IN THE ULTIMATE act of hubris, Dr. Evil's submarine headquarters was designed as a massively scaled up version of Dr. Evil himself. The bald head provided a large degree of streamlining, of course. Even the periscope looks like the evil doctor.

As well as providing full conferencing and henchman destruction facilities, Dr. Evil's submarine was also the base for his Preparation H nuclear-powered tractor beam, which was located in the buttock area.

Ironically, the head of Roboto Industries – who built Preparation H – perished on board the submarine when he had the temerity to ask Dr. Evil for a bonus. Remarkably for an ocean-going vessel, the submarine lair has a pool of water in the main chamber, containing sharks with lasers on their heads.

'Welcome to my submarine lair. It's long and hard and full of seamen.'

DR. EVIL

96

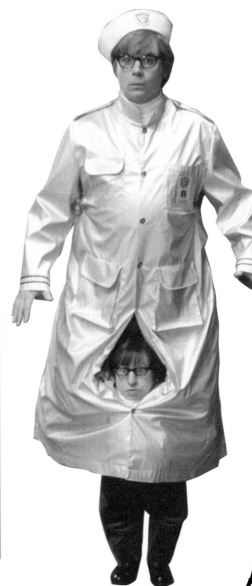

Dr. Evil's plans for world domination finally went to his head...

Can our fearless chums sneak in to foil Dr. Evil's plan before it's too late?

Fat Bastard Goes To Japan

ALTHOUGH HIS missions to rid that meddling Austin Powers from Dr. Evil's plans had failed, Fat Bastard made a serious attempt to sort out his life. He realised that his massive girth, which he felt at one time was the core of his sexiness, was actually quite repulsive.

His solution? Go to Japan and channel the effects of his large size where it could be appreciated – the sumo ring. During this time, through many sweaty, stinking hours on the toilet, Fat Bastard thought long and hard about the trials and tribulations an 'oversized gentleman' like himself had had to endure.

Fat Bastard soon found that he enjoyed Sumo wrestling, and – better than that – he was actually very good at it. But despite his new happiness and success, Fat Bastard couldn't help slipping back to his old ways. He started working for Dr. Evil again, acting as a courier between Evil and his chief designer, Mr. Roboto. As before, he was never a part of Dr. Evil's organisation – he merely acted as a mercenary, providing services for money.

In his encounter with Austin, Fat Bastard attempts to appeal to Austin's sensitive side by telling him of his lifelong hardships as an obese person. However, these heartfelt sentiments are soon overshadowed by Fat Bastard's lack of control over his sphincter. That sphincter – it always seemed have a mind of its own!

Eventually he found a diet that worked – eating nothing but low-calorie sandwiches – and lost a lot of weight. Unfortunately he had a problem with all the loose skin, especially around the neck.

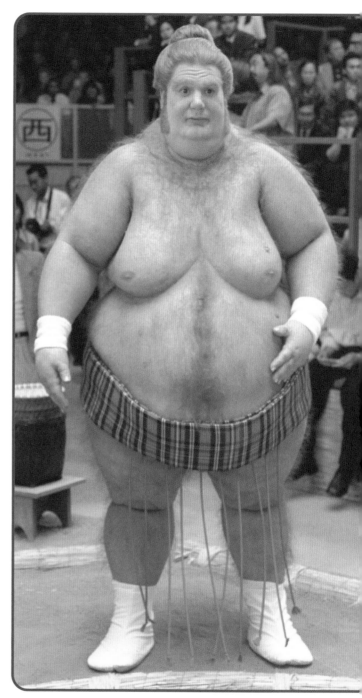

'This diaper's making mah nuts rub together so much it's gonna start a fire!'

FAT BASTARD

Fat Bastard: 'Are we done here? I gotta take a crap.'

'Even stink would say that stinks.'

FAT BASTARD

Fat Bastard took the opportunity to study Eastern martial arts, and became an expert in the technique of wire-fighting, but his weight proved a disadvantage. He found the wires often snapped, leaving him dangling in the wind at the mercy of his opponents.

The defection of Mini-Me

BY THE TIME Dr. Evil started working on Preparation H, he and his one-eighth size replica had become inseparable – it was all mini-trikes, chocolates and baby slings for the evil duo. Mini-Me could do no wrong, except when he dozed off in Virtucon meetings.

During his incarceration in high-security prison, Dr. Evil made a bargain with Austin Powers. In return for information on the location of Austin's kidnapped father, Austin would ensure that Dr. Evil was moved to a lower security prison where he could be with his beloved Mini-Me. Once reunited, the two quickly 'assumed their positions' as chief control freaks of the prison yard, and planned their escape with the help of the inmates.

Unbeknownst to the vertically-challenged Mini-Me, his 'big brother' Scott Evil decided to take over the family business during Dr. Evil's incarceration. Upon their return to the lair, Mini-Me was shocked and dejected by Dr. Evil's new found affections for his biological 'uncloned' son, Scott. Dr. Evil's neglect of Mini-Me gave prisoner Nigel Powers the perfect opportunity to swoop in and tell Mini-Me that, 'just because you're an eighth their size doesn't mean that you deserve an eighth of their respect'. That, paired with Nigel's blushing compliments on Mini-Me's 'unit' gave Mini-Me all the encouragement he needed to leave Dr. Evil's side and defect to British Intelligence. His first mission? To provide Austin Powers with the location of Dr. Evil's submarine lair.

Once Mini-Me joined Austin Powers in his crusade against Dr. Evil's schemes, he went right to work, even dressing as a pseudo-International Man of Mystery. Together, he and Austin infiltrated Dr. Evil's submarine but found only one disguise to wear. In a quick-thinking move, Austin perched himself on Mini-Me's shoulders and they carried on through the submarine. Things went without a hitch until they were stopped by the sub's henchman physician and dragged into an examining room for a physical, which required a urine sample. The jig was up and both Austin and his mini sidekick were on the run. Austin Powers was captured, but the elusive Mini-Me escaped into the submarine's ventilation system.

Dr. Evil and Mini-Me were reunited when Dr. Evil saw the futility of his continuing attempts to 'off' Austin Powers, and embraced his new found position among the Powers family.

'Horny bugger.'

AUSTIN POWE[RS]
PULLING MINI-M[E]
OFF FOX[Y]
CLEOPATRA'S L[AP]

Dr. Evil: 'Here's your chocolate. It was made in Bruges – that's in Belgium… Look at him, he loves it. It's like frickin' catnip for clones.'

'Good lord, you're a tripod. What do you feed that thing? It's like a baby's arm holding an apple! Good news is, if you get tired you can use it as a kickstand!'

NIGEL POWERS, LOOKING AT MINI-ME'S 'GIGGLESTICK'

Austinpussy!

DESPITE HAVING won the International Man of Mystery award, and despite the fact that his career as a famous fashion photographer was meant to be a cover for his secret agent activities, Austin's work for British Intelligence was widely known. Members of the public would stop him in the street and thank him for saving the world.

Austin's adventures were immortalised on celluloid by Steven Spielberg in 2002, in the film *Austinpussy*. Austin was played by Tom Cruise (an Oscar-winning performance); Dr. Evil by Kevin Spacey (another Oscar-winning performance) and Mini-Me by Danny DeVito (a mini-Oscar-winning performance). The part of Dixie Normous – small-town FBI agent and single mother – was played by Gwyneth Paltrow.

The gala premiere of *Austinpussy* at Mann's Chinese Theatre in Los Angeles was attended by all the stars of the film, as well as celebrities such as Britney Spears.

Austinpussy wasn't the first attempt at making an Austin Powers movie. Various directors had attempted, over the years, to bring Austin Powers to the big screen, but only Steven Spielberg made a success of it. Previous Austin Powers films, such as *Middle Name: Danger*, *You Only Floss Twice*, *Four Eyes Only* and the Bollywood epic *From India With Affection*, are now only available on CD-I and as a limited edition laserdisc box set.

'No offence, Sir Stevie, but you gotta have mojo, baby! Yeah!'

AUSTIN POWERS

'Watch out, Mr Powers – this is one doctor who DOES make house calls!'

KEVIN SPACEY AS DR. EVIL

Austin Powers: 'I can't believe Sir Steven Spielberg, the grooviest film-maker in the history of cinema, is making a movie of my life! Smashing baby, yeah!'

103

Scotty – Don't!

THE CONTINUING saga of Scott Evil and his overwhelming disdain for his father continues as Dr. Evil gathers everyone together after his escape from prison. Dr. Evil begins describing his latest plot to replace the previously failed 'Preparation A-G' plans.

During Frau's conjugal/informational visit to Dr. Evil in 'lockdown', she informs Scott's dad that he does indeed want to take over the family business. So much so, that he has even started losing his hair. Dr. Evil is overwhelmed and delighted.

As Dr. Evil and his cohorts gather in the submarine lair, Dr. Evil is shocked into silence at the sight of his son's disappearing hair. Scott presents Dr. Evil with his long awaited evil contraption – a tank full of sharks with laserbeams attached to their heads. Choked up with emotion, Dr. Evil welcomes his newly-evil son to sit next to him as he conducts his meeting. Mini-Me is asked to 'move down the bench' and eventually to move on out of the room.

Semi- evil

Quasi-evil

'Why not just call it Operation Ass Cream? You ass...'

SCOTT EVIL

The Diet Coke™ of evil – just one calorie – not evil enough

SCOTT'S HAIR

Once he had made the decision to follow in his father's footsteps, Scott found to his dismay that the Evil side of his genetic heritage began to make itself felt.

'Overall, Preparation H feels good on the whole.'

DR. EVIL

Yes, Preparation H does feel good… on the hole.'

SCOTT

Whereas his father spent seven years at evil medical school, Scott's evil tendencies are entirely genetic.

When Mr. Roboto – the Japanese industrialist who designed many of Dr. Evil's evil devices – demanded a bonus for his work, it was Scott, rather than Dr. Evil, who dumped him into the tank. He was learning fast, and even began to imitate his father's trademark 'little finger' gesture.

But just when he thought he had earned his father's love – just when it seemed like a good time to become evil, and see the Powers family finally get incinerated, it's revealed that your father was actually adopted by Belgians after a failed car bombing attempt on the Powers family! All along, Dr. Evil never knew the true roots of his birth family which include his long-lost brother – none other than (gasp) – AUSTIN POWERS.

When Dr. Evil realised that he and Austin needed each other, and willingly collaborated in the foiling of his own evil scheme, Scott was incredulous. He had spent years being told that he wasn't evil enough, and now his father had turned good in a moment.

Scott Evil ended up alone in his father's old Hollywood lair, dreaming of how he might rebuild his father's evil empire – and make it even more evil than before.

Dr. Evil: 'Take it down a notch, okay Scott?'

Mojo Motors

AUSTIN'S personalised car started life as an E-type Jaguar, but extensive and expensive modification led to its reclassification as a one-off Shaguar. The car's number plate – SWINGER – was issued to Austin as a special 'Thank-you' to him from the British Government.

Austin had the Shaguar re-sprayed in a Union Jack paint scheme, partly as a tribute to Her Majesty the Queen.

Special features of the Shaguar include a communications panel in the dashboard, through which Austin can maintain face-to-face communications with Basil Exposition, Head of British Intelligence, and a remote control driving system which allows Austin to drive the car whilst, for instance, falling through the air fighting ninja assassins.

British Intelligence provided Austin Powers with a heavily modified Volkswagon Beetle to aid him in his mission to prevent Dr. Evil from stealing his mojo. The modifications were partly to do with the paint scheme – a rainbow-coloured whirl of stars and clouds – but more to do with the fitting of an experimental time-travel device which allowed the car to travel back to 1969.

The modifications to the Volkswagon resulted in some problems with the handling. When he first took the controls, Austin managed to destroy hundreds of thousands of British pounds of equipment by reversing into it before he could work out the gears. At least, that was his excuse.

It's a Mini, sort of. Gr8 numberpl8

'You know, it's remarkable how much England looks in no way like Southern California.'

AUSTIN POWERS

Remote control mechanism, somewhere in there

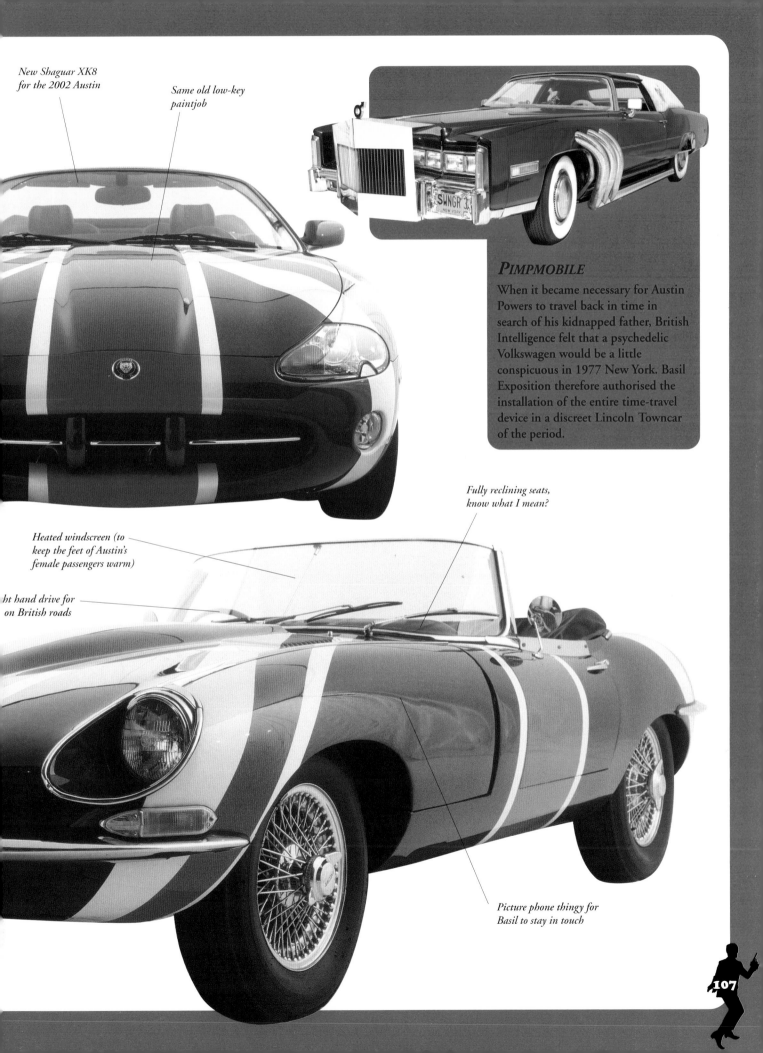

New Shaguar XK8 for the 2002 Austin

Same old low-key paintjob

PIMPMOBILE

When it became necessary for Austin Powers to travel back in time in search of his kidnapped father, British Intelligence felt that a psychedelic Volkswagen would be a little conspicuous in 1977 New York. Basil Exposition therefore authorised the installation of the entire time-travel device in a discreet Lincoln Towncar of the period.

Heated windscreen (to keep the feet of Austin's female passengers warm)

Fully reclining seats, know what I mean?

ht hand drive for on British roads

Picture phone thingy for Basil to stay in touch

SWNGR
NEW YORK

Dr. Evil's Evil Plots

DR. EVIL'S first few ideas for obtaining vast sums of money illegally, following his return to crime in 1997, were… problematic. History had made them all redundant and he had to go back to what he knew best – grandiose schemes involving lots of henchmen, vast lairs in exotic locations and complex (and easily broken) technology.

Project Vulcan was Dr. Evil's first big project after retaking control of his evil organisation in 1997. Having stolen a nuclear warhead – his speciality – he threatened to send it plunging into the core of the planet using a subterranean torpedo system. The resulting volcanic eruptions would cover the Earth's surface in lava – unless Dr. Evil received one hundred billion dollars in ransom money.

Travelling back in time, Dr. Evil installed a gigantic laser on the moon, intending to use it to destroy whatever city he chose unless the President of the United States paid him one hundred billion dollars.

Having discovered that a Dutch metallurgist named Johann Van Der Smut had designed a cold fusion reactor, Dr. Evil devised a plan to use the reactor to power a 'tractor beam' that could drag a meteorite towards the Earth. The meteorite would hit the polar ice cap, melting it and flooding all the cities of the Earth – unless Dr. Evil was paid one hundred trillion yen.

'Oh hell, let's just do what we always do – hijack nuclear weapons and hold the world hostage.'

DR. EVIL

Dr. Evil: 'After I destroy Washington I will destroy another major city every hour on the hour – that is, unless you pay me… one hundred billion dollars!'

US President: 'Dr. Evil, that much money simply doesn't exist. I don't think one hundred billion is even a number. It's like saying "I want a kajillion bajillion dollars."'

Dr. Evil: 'Here's the plan – we get the warhead and we hold the world ransom… for one million dollars!'
Number Two: 'Don't you think maybe we should ask for more than a million dollars? A million dollars isn't exactly a lot of money these days.'

Dr. Evil: 'Congratulations numbnuts – you've succeeded in turning me into a frickin' jack-in-the-box."

From the Desk of Dr. Evil

Blackmail Royal Family with evidence of Prince Charles's infidelity **POINTLESS**

Carrot Top film project **ABANDONED**

Project Vulcan **FAILED**

Destroy ozone layer and flood planet with radiation **POINTLESS**

Steal Austin Powers' mojo **FAILED**

Alan Parsons Project **FAILED**

Preparation H **FAILED**

Human organ trafficking plot **LOOKS PROMISING**

Dr. Evil: 'As you all know, every diabolical scheme I've ever hatched has been thwarted by Austin Powers. And why is that, ladies and gentlemen?'
Scott Evil: 'Because you never kill him when you get the chance, and you're a dope?'

One World Under a Groove

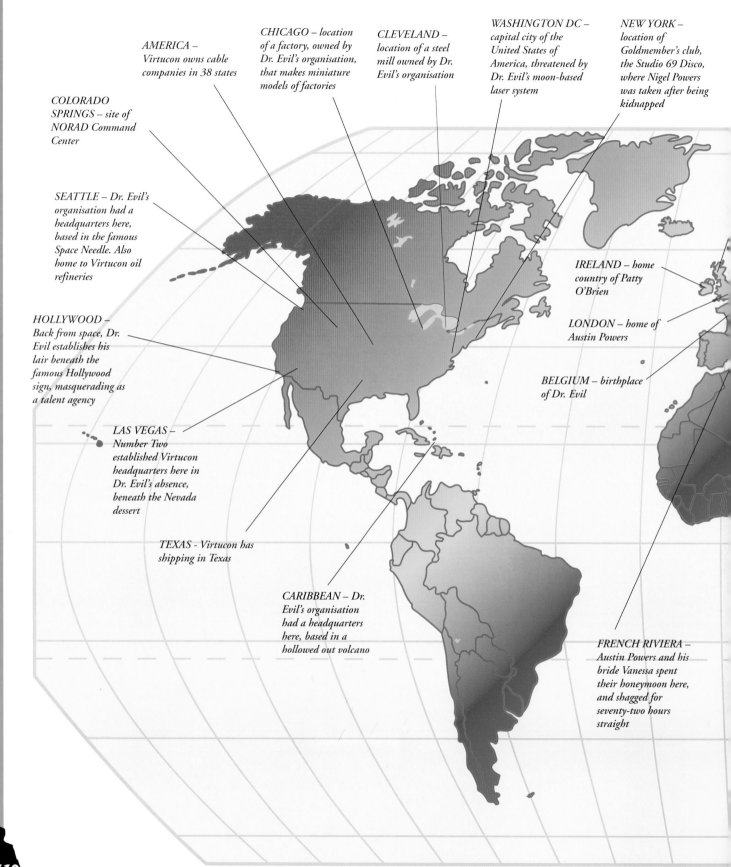

AMERICA – Virtucon owns cable companies in 38 states

CHICAGO – location of a factory, owned by Dr. Evil's organisation, that makes miniature models of factories

CLEVELAND – location of a steel mill owned by Dr. Evil's organisation

WASHINGTON DC – capital city of the United States of America, threatened by Dr. Evil's moon-based laser system

NEW YORK – location of Goldmember's club, the Studio 69 Disco, where Nigel Powers was taken after being kidnapped

COLORADO SPRINGS – site of NORAD Command Center

SEATTLE – Dr. Evil's organisation had a headquarters here, based in the famous Space Needle. Also home to Virtucon oil refineries

IRELAND – home country of Patty O'Brien

LONDON – home of Austin Powers

HOLLYWOOD – Back from space, Dr. Evil establishes his lair beneath the famous Hollywood sign, masquerading as a talent agency

BELGIUM – birthplace of Dr. Evil

LAS VEGAS – Number Two established Virtucon headquarters here in Dr. Evil's absence, beneath the Nevada dessert

TEXAS - Virtucon has shipping in Texas

CARIBBEAN – Dr. Evil's organisation had a headquarters here, based in a hollowed out volcano

FRENCH RIVIERA – Austin Powers and his bride Vanessa spent their honeymoon here, and shagged for seventy-two hours straight

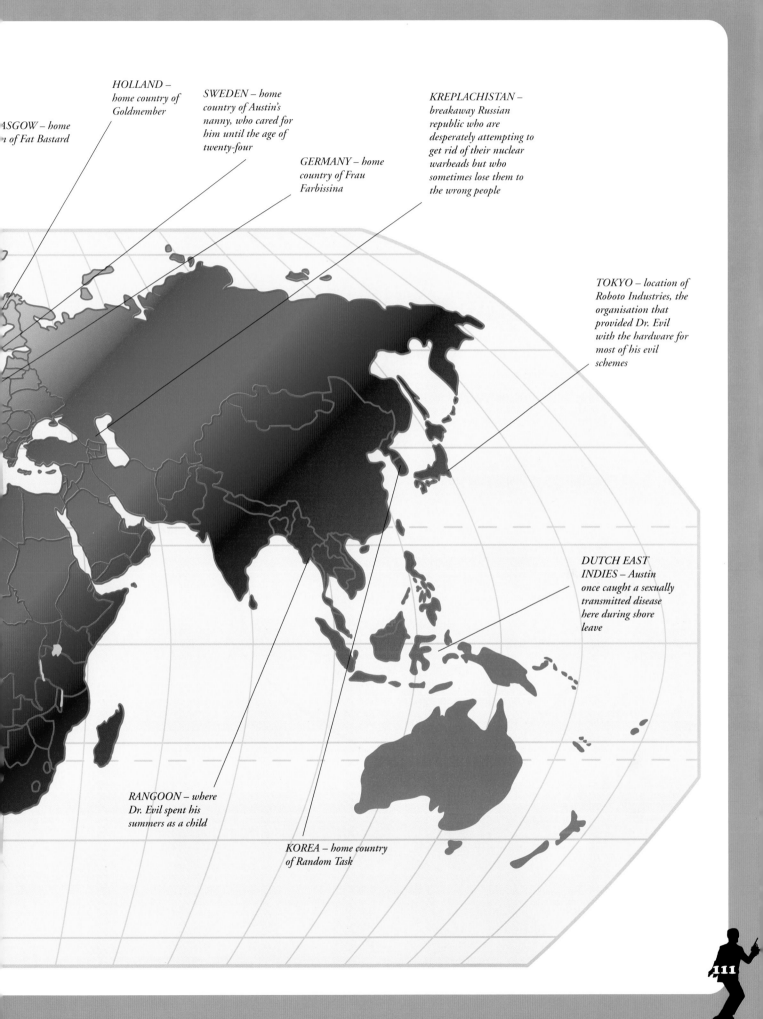

HOLLAND –
home country of
Goldmember

SWEDEN – home
country of Austin's
nanny, who cared for
him until the age of
twenty-four

GERMANY – home
country of Frau
Farbissina

KREPLACHISTAN –
breakaway Russian
republic who are
desperately attempting to
get rid of their nuclear
warheads but who
sometimes lose them to
the wrong people

*ASGOW – home
*n of Fat Bastard

TOKYO – location of
Roboto Industries, the
organisation that
provided Dr. Evil
with the hardware for
most of his evil
schemes

DUTCH EAST
INDIES – Austin
once caught a sexually
transmitted disease
here during shore
leave

RANGOON – where
Dr. Evil spent his
summers as a child

KOREA – home country
of Random Task

Epilogue

STILL LOOKING for more information, are you? If you're reading this, it is merely because I have decided to spare you, despite your insolence.

It's not easy being evil – or staying that way as you can see. Being raised by Belgians, you'd think it would be… So my arch-nemesis, Austin Powers defeated me a few times. So frickin' what? Despite my failed plots to achieve world domination, I've still done more than your average evil doctor… Let's see – I've been everywhere from outer space to jail, time travelled to different decades, been cloned, and watched my son lose his un-evil attitude as well as his hair. Very Norman Rockwell, if you will.

I should warn you, however, that, as you prepare to close this book, I have one last deviant plan. I have rigged the back cover of this book so that the reader cannot close it. If you close the book, you will be sprayed with liquid hot magma.

There is, of course one way out of it. I will activate the radio signal which will render this book harmless if you send me (via the publishers of this book) the following:

All of your carbon paper and typewriter ribbons. All of them. Every last bit you can find. Oh, and any slide rules you got, too.

These will form an integral part of my next plan to take over… well… you'll just have to wait and find out…

What?

Number Two has just informed me that nobody uses carbon paper any more. Or typewriters. Or slide rules. Shit.

Think this is frickin' over? How 'bout NO?!

Cast lists

International Man Of Mystery

Mike Myers	Austin Danger Powers
	Dr. Evil
Elizabeth Hurley	Vanessa Kensington
Michael York	Basil Exposition
Mimi Rogers	Mrs. Kensington
Robert Wagner	Number Two
Seth Green	Scott Evil
Fabiana Udenio	Alotta Fagina
Mindy Sterling	Frau Farbissina
Paul Dillon	Patty O'Brien
Charles Napier	Commander Gilmour
Will Ferrell	Mustafa
Joann Richter	'60s Model
Anastasia Sakelaris	'60s Model
Afifi Alaouie	'60s Model
Monet Mazur	Mod Girl
Clint Howard	Radar Operator Ritter
Elya Baskin	General Borschevsky
Carlton Lee Russell	Gary Coleman
Daniel Weaver	Vanilla Ice
Neil Mullarkey	Quartermaster Clerk
Lea Sullivan I	Go-Go Dancer
Chekeshka Van Putten	Go-Go Dancer
Heather Marie Marsden	Go-Go Dancer
Sarah Smith	Go-Go Dancer
Laura Payne-Gabriel	Go-Go Dancer
Joe Son	Random Task
Tyde Kierny	Las Vegas Tourist
Larry Thomas I	Casino Dealer
Tom Arnold	Texan Businessman
Cheryl Bartel	Fembot
Cindy Margolis	Fembot
Donna W. Scott	Fembot
Barbara Ann Moore	Fembot
Cynthia Lamontagne	Fembot
Brian George	UN Secretary
Kaye Wade	Mrs. Exposition
Steve Monroe	Son
Vince Melocchi	Dad
Patrick Bristow	Virtucon Tour Guide Bolton
Jim McMullan	American UN Representative
Robin Gammell	British UN Representative
Ted Kairys	Eastern European Technician
Burt Bacharach	Himself

The Spy Who Shagged Me

Mike Myers	Austin Danger Powers
	Dr. Evil
	Fat Bastard
Heather Graham	Felicity Shagwell
Michael York	Basil Exposition
Robert Wagner	Number Two
Rob Lowe	Young Number Two
Seth Green	Scott Evil
Mindy Sterling	Frau Farbissina
Verne Troyer	Mini-Me
Elizabeth Hurley	Mrs. Vanessa Powers
Gia Carides	Robin Spitz Swallows
Oliver Muirhead	British Colonel
George Cheung	Chinese Teacher
Jeffrey Meng	Chinese Student (Wang)
Muse Watson	The Klansman
Scott Cooper	Bobby
Douglas Fisher	Man (Pecker)
Kevin Cooney	NORAD Colonel
Clint Howard	Johnson Ritter
Brian Hooks	Pilot
David Koechner	Co-Pilot
Frank Clem	Guitarist with Willie Nelson
Herb Mitchell	Sergeant
Steve Eastin	Umpire
Jane Carr	Woman (Pecker)
Kevin Durand	Bazooka Marksman Joe
Melissa Justin	Chick #1 at Party
Nicholas Walker	Captain of the Guard
Stephen Hibbert	Inept Magma Chamber Guard
David Coy	Carnaby Street Band Member
David Crigger	Carnaby Street Band Member
Tom Ehlen	Carnaby Street Band Member
Dennis Wilson	Carnaby Street Band Member
Eric Winzenried	Private Army Soldier
Tim Bagley	Friendly Dad
Colton James	Friendly Son
Michael G. Hagerty	Peanut Vendor
Jack Kehler	Circus Barker
Kirk Ward	Soldier
Jeff Garland	Cyclops
Rachel Wilson	Autograph Seeker
Jennifer Coolidge	Woman at Football Game

John Mahon	NATO Colonel
Michael James McDonald	NATO Soldier
Jeanette Miller	Teacher
Mary Jo Smith	Una Brau
Carrie Ann Inaba	Felicity Dancer #1
Jennifer L. Hamilton	Felicity Dancer #2
Ayesha Orange	Felicity Dancer #3
Natalie Willes	Felicity Dancer #4
John R. Corella	Party Dancer #1
Alison Faulk	Party Dancer #2
Michelle Elkin	Party Dancer #3
Shealan Spencer	Party Dancer #4
Tovaris Wilson	Party Dancer #5
Mark Bringleson	Andy Warhol
Bree Turner	Dancer #1
Marisa Gilliam	Dancer #2
Mark Meismer	Dancer #3
Sal Vassallo	Dancer #4
Jason Yribar	Dancer #5
Chekeshka Van Putten	Go-Go Dancer #1
Tara Mouri	Go-Go Dancer #2
Gigi Yazicioglu	Go-Go Dancer #3
Sarah Smith	Scene Break Dancer
Faune A. Chambers	Scene Break Dancer
Gabriel Page	Scene Break Dancer
Jim Boensch	Queen's Guard
Ron Ulstad	Chief of Staff
Tim Waters	Bill Clinton's Look-Alike
Todd M. Schultz	Jerry Springer's Bodyguard #1
Steve Wilkos	Jerry Springer's Bodyguard #2
Burt Bacharach	Himself
Elvis Costello	Himself
Will Ferrell	Mustafa
Woody Harrelson	Himself
Kristen Johnston	Ivana Humpalot
Charles Napier	General Hawk
Willie Nelson	Himself
Tim Robbins	The President
Rebecca Romijn-Stamos	Herself
Jerry Springer	Himself
Fred Willard	Mission Commander

AUSTIN POWERS IN GOLDMEMBER

Mike Myers	Austin Danger Powers
	Dr. Evil
	Fat Bastard
	Goldmember
Beyoncé Knowles	Foxxy Cleopatra
Nichole Hiltz	French Tutor
Michael York	Basil Exposition
Michael Caine	Captain Hendricks/Nigel Powers
Seth Green	Scott Evil
Eddie Adams	Young Basil Exposition
Robert Wagner	Number Two
Mindy Sterling	Frau Farbissina
Verne Troyer	Mini-Me
Tom Cruise	Himself
Danny DeVito	Himself
Gwyneth Paltrow	Herself
Quincy Jones	Himself
Ozzy Osbourne	Himself
Kevin Spacey	Himself
Fred Savage	Number Three/The Mole
Burt Bacharach	Himself
Debbie Lee Carrington	School Girl Dancer
Kevin Cooney	General Clark
India Dupre	Belinda
Evan Farmer	Young Number Two
Aaron Himelstein	Young Austin Powers
Susanna Hoffs	Gillian Shagwell (Ming Tea)
Clint Howard	Johnson Ritter
Carrie Ann Inaba	Fook Yu
Stuart D. Johnson	Manny Stixman (Ming Tea)
Nina Kaczorowski	Goldmember's Henchwoman
Linda Kim	Geisha Secretary
Nathan Lane	Mysterious Disco Man
Rob Lowe	Young Number Two
Diane Mizota	Fook Mi
Jack Osbourne	Himself
Kelly Osbourne	Herself
Sharon Osbourne	Herself
Kinga Phillips	Austin's mom
Jim Piddock	Headmaster
Riley Schmidt	Partygoer
Britney Spears	Herself
Steven Spielberg	Himself
Matthew Sweet	Sid Belvedere (Ming Tea)
John Travolta	Himself
Christopher Ward	Trevor Aigberth (Ming Tea)
Josh Zuckerman	Young Dr. Evil

SMASHING!
AND I'M SPENT.

Dedicatoria

Cada letra, cada palabra, cada oración, va dedicada al que siempre estuvo en mi vida desde el momento que fui deseada por Dios: a ti, Espíritu Santo. A ti dedico este libro y te doy las gracias. Gracias por diseñar cada uno de mis días. Gracias por permanecer a mi lado cuando lloro y también cuando río, por llenar mis días de sonidos y del silencio. A ti digo: misión cumplida.

Agradecimientos

Ante todo, le doy gracias a Dios por permitir que una de sus promesas para mi vida se manifestara de manera tangible. Definitivamente sus planes para nuestra vida son de bien y no de mal. Sus tiempos son perfectos y justos.

A mi familia nunca tendré las palabras correctas para agradecer el apoyo, su comprensión y, sobre todo, su fe en mí y en esta hermosa aventura que juntos comenzamos. Gracias por empujarme cuando me quise rendir y por sus oraciones.

A mis hijos Wilfredo, Yainaliz y Jamilette, ustedes son mi motor. Por ustedes pago el precio necesario para que tanto ustedes como sus generaciones sean bendecidos. El reinado de David fue uno de mucha guerra, pero el reinado de su hijo Salomón se caracterizó por la paz. Ese es mi deseo: que sus asignaciones divinas sean caracterizadas por un legado de amor, paz y gracia.

A mi esposo Carlos, gracias por el apoyo ilimitado. Por apoyar cada locura, cada proyecto y cada aventura, aunque no entiendas ninguna. El decir presente en los momentos más importantes de mi vida ha hecho que pueda ver el favor de Dios a través de ti.

Son tantas las personas que han sido parte de esta trayectoria hermosa. Quisiera agradecerle a cada uno por nombre, pero para no dejar a nadie fuera doy mis agradecimientos de manera general. Gracias por cada buen deseo, por sembrar en mi sueño y acompañarme en esta sanidad.

A Ofelia Pérez por creer en los sueños de Dios y editar este hermoso proyecto. A Nodelis-Loly Figueroa, de Lord & Loly Graphics Designs, otra guerrera que aportó su talento en todo el diseño para mi primer libro. Gracias a cada uno de los profesionales que han hecho esto posible.

Y a ti, mujer guerrera que tienes este libro en tus manos, gracias. Mi deseo siempre es que, al leer esta trayectoria de sanidad, tú también logres sanar. No se trata de las veces que has caído ni cuanto te tardaste en reconocer que ha llegado la temporada para que te encuentres con el "Yo" que Dios siempre quiso que fueras. Es tiempo de limpiar las lágrimas, enderezar tu corona y comenzar a caminar en tus promesas.

Contenido

Prólogo

Esta es la historia de una guerrera que descubrió que la verdadera fuerza está en Jesús.

Quiero agradecerle a Janice el haberme dado el privilegio de leer su conmovedora historia. En este libro encontrarás las experiencias de vida de una niña quebrada, una juventud interrumpida, la madurez de la mujer que se responsabiliza por sus errores y la preciosa restauración que solo encuentras en Jesús.

Janice brinda consejos muy valiosos para esta generación mientras coloca en el escenario su propia vida. ¡Con suma honestidad y claridad te relatará su experiencia con una habilidad impresionante!

Soy amante de la literatura, mi género favorito es la novela y, sin lugar a duda, Dios ha dotado a Janice de la habilidad para escribir este tipo de género. Su libro te invita a sumergirte con ella en una historia interesante, llena de retos y experiencias que provocarán que permanezcas leyendo su historia hasta el final.

Resumiría este libro de la siguiente manera:

Cuando en medio de las fuertes batallas de la vida todos se hayan ido, y hasta tú misma te hayas abandonado, Jesús queda y Jesús es suficiente. ¡Adelante, valiosa guerrera!

Christy Muller
Conferencista Internacional
y personalidad de radio
Autora de *Una vida mejor*

Introducción

Posiblemente cuando piensas en una guerrera la visualizas como se proyecta en una pantalla cinematográfica gigante: fuerte de carácter como tal vez de fuerza física. La imaginas invencible, sin temor a nada, siempre dispuesta a luchar una buena batalla. Es difícil imaginársela sintiéndose débil, con miedos o temores. Es casi imposible pensar que las grandes guerreras sean capaces de ser las más débiles.

Quiero dejarles saber que las guerreras también lloran. Las lágrimas de una guerrera permanecen ocultas de quienes la rodean, pero no dejan de existir. La guerrera camina con su cabeza erguida, siempre mirando hacia adelante, aunque en su intimidad, su frente toque el suelo. Permanece fuerte y luchando por los que dependen de ella, pero en muchas ocasiones, grita en silencio necesitando una mano amiga, un hombro sobre el cual llorar y de quienes puedan ayudar a levantar sus brazos.

Las lágrimas de una guerrera permanecen ocultas de quienes la rodean, pero no dejan de existir.

Como fundadora del ministerio *Palabras de Guerrera*™ y como una mujer que la han llamado guerrera en tantas ocasiones, deseo subir el telón de lo que vivimos las guerreras. A través de estas páginas entenderás por qué me llaman guerrera, pero también verás y experimentarás el verdadero escenario de la mujer que es fuerte frente a todos, pero completamente vulnerable cuando está en la presencia de su Padre.

Para ser una guerrera debió haber librado muchas batallas. Todos tenemos una historia, una vida pasada, un camino que hemos atravesado, lleno de momentos gratos, momentos que gritamos a los cuatro vientos con orgullo; y otros, dolorosos, que no quisiéramos que se sepan o se repitan. Pero, para entender las lágrimas de una guerrera, es necesario que entiendas el camino que ha tenido que recorrer. Para eso, comencemos desde el principio. Te doy acceso a las lágrimas de una guerrera.

Lágrimas

DE UNA

GUERRERA

Lágrimas
de inocencia
Una niñez interrumpida

Lágrimas de inocencia

Una niñez interrumpida

Recuerdo como ahora que recibí mi primer periodo menstrual a los 9 años. Eso debió servir de señal a mis padres de que mi cuerpo iba en una evolución acelerada. Mis padres se habían mudado para los Estados Unidos, y como lo hacen muchas personas que emigran de su país, fueron a vivir a una comunidad donde vivían varios puertorriqueños. Mis padres no le servían al Señor, ni tan siquiera íbamos a una iglesia. Así que las reuniones familiares y las fiestas eran cosa muy común, en especial para el tiempo de las navidades.

Fue en una de esas llamadas "fiestas de marquesina" que una noche, a mis 13 años, conocí a mi príncipe azul. Era un joven de 16 años, trigueño, delgado, más alto que yo, con una sonrisa espectacular. Cruzamos miradas esa noche y de inmediato supe que yo le interesaba. Aunque solo tenía 13 años siempre aparentaba más edad, por lo que no resultó extraño que me mirara como una opción. Hablamos toda la noche, bailamos y antes de finalizar la fiesta le di el número de teléfono de mi casa para que me llamara.

No lo podía creer. Por primera vez en la vida comencé a sentir emociones desconocidas. Solamente podía pensar en él. Cada vez que llamaba a la casa no quería soltar el teléfono. Mis padres comenzaron a darse cuenta, y como todo padre y madre preocupados por mi edad, me prohibieron hablar con él. Me decían que no tenía edad para esas cosas, pero mis emociones me gritaban lo contrario. Estaba convencida que este era el hombre con el que deseaba pasar el resto de mi vida. Y joven al fin, recluté ayuda. Cerca de mi casa vivía una prima mucho mayor que yo. Le abrí mi corazón y la convencí de que me ayudara. Ella era la persona que nos ayudaba a vernos a escondidas.

En una ocasión mi mamá se enteró de lo que estaba pasando y después de hablarlo con mi papá, tomaron la decisión de enviarme por el verano a Puerto Rico. Pensaron: "Si los separamos, el joven se resignará y se olvidará de ella". Así que, varias semanas después, al finalizar el curso escolar, mis padres me enviaron a Puerto Rico. Yo sentía que moría. Mi corazón no había experimentado tanto dolor, pensaba al menos en ese momento. El joven se enteró de lo sucedido y me mandó aviso diciendo: *"Tranquila, hoy mismo hago los arreglos para llegar a Puerto Rico, nadie nos podrá separar".*

Resulta que sus padres vivían cerca de la casa de mi abuela. Nuestros familiares se conocían. De manera inmediata, él compró un pasaje y llegó a la Isla. Se podrán imaginar mi emoción al verlo, abrazarlo y besarlo. Ahora sí que sentía que nada nos separaría. Pero, nuevamente mis padres se enteraron, así que mi papá llegó a Puerto Rico para llevarme a casa. Una semana antes de nuestro regreso, en un encuentro a escondidas, el joven me dijo que no podía pensar en la idea de estar sin mí. Me dijo que estaba preparando todo para que me escapara y me fuera con él.

Escape equivocado

Había hablado con una tía y había hecho los arreglos para llevarme con él. Yo estaba aterrada, pero me sentía tan enamorada que no podía concebir la idea de no estar con él. Cuando llegó la noche, le dije a mi papá y a mi abuela que iba a la casa de mi prima a cuidar un rato de su bebé. Caminé lo más rápido posible y esperándome en la casa de mi prima, estaba mi príncipe. Aledaño a la casa de mi prima había un monte que tenía un camino que daba acceso al barrio donde nos esconderíamos. Bajo la oscuridad de la noche, con mi corazón latiendo a mil palpitaciones, tomada de la mano de él, me fui. Estaba asustada, pero ya no había vuelta atrás. Ya me había ido.

Llegamos a la casa de su tía y allí permanecimos escondidos para que mi papá no nos pudiera encontrar. Par de horas después, escuchaba a la gente alrededor decirle a él que no saliéramos, que mi papá estaba de arriba para abajo buscándome como loco. Así que nos encerramos en la habitación que sería nuestra en esta nueva etapa.

Fue esa noche, encerrada en una habitación de la cual no podía salir, que entregué mi virginidad. Entre lágrimas y dolor estaba entregando lo más puro que tenía. No vi las estrellas que te pintan en las películas y mucho menos me disfruté el acto. Sentía dolor y vergüenza. Era la primera vez que veían mi desnudez y me sentía impotente. Lloré toda la noche en silencio hasta quedarme dormida. Los siguientes días fueron tan confusos. No podía salir, no tenía ninguna de mis pertenencias y no tenía a dónde ir.

A los días, llamé a mi abuela para dejarle saber que estaba bien. Lo único que hacía era llorar. Me dijo que mi papá estaba sufriendo mucho; que todos estaban preocupados por mí. Me dijo que al menos fuera a buscar mi ropa, pues ella estaba consciente de que yo no tenía nada. Yo le decía que tenía miedo de que mi papá me hiciera algo, pero ella me aseguró que no sería así.

Lección de amor

Me armé de valor y junto con mi príncipe fuimos a la casa de mi abuela. Al llegar, ella corrió afuera y me abrazó. Le pregunté dónde estaba mi papá y me dijo que estaba buscando mis cosas. Cuando miré a mi papá, las lágrimas comenzaron a bajar por mi rostro. No me atrevía a mirarlo a los ojos. Me sentía tan avergonzada, tan sucia. Le había fallado y no tenía vuelta atrás. Cuando se paró frente a mí esperaba que me diera una cachetada, que me gritara y me insultara. Pero lo que hizo mi padre me marcó para el resto de mi vida. Mi padre se lanzó sobre mí, me rodeó con sus brazos y comenzó a llorar. Ese fue el peor golpe que me pudo haber dado. En ese momento supe que le había roto el corazón a mi papá.

Fue un gran reto en aquel tiempo vivir bajo falsas expectativas y no contar con una cobertura espiritual, ya que nadie nos había presentado a Jesús. Mi padre regresó a Estados Unidos donde lo esperaba mi madre, pues estaba recién operada y no podía hacer nada para cambiar las circunstancias. Mis padres reaccionaron de acuerdo con el mundo que les enseñaron en el campo: *"Si se fue con el novio, ya decidió su futuro. Ahora que se quede con él para que aprenda"*. Mientras, allí estaba yo, con 13 años, viviendo en una relación de pareja, más bien jugando a "papá y mamá" como lo hacía cuando era más pequeña.

En las novelas que veía con mi abuela, solían resaltar una relación de amor inesperada, una lucha intermedia y un final feliz. Yo sentía que estaba viviendo una novela. El amor había llegado de manera inesperada, pensé que mi lucha para estar con él era la batalla mayor que tenía que librar, y estaba en espera de un final feliz. ¡Qué equivocada estaba!

El cine, las telenovelas, las películas románticas pocas veces muestran la realidad y las consecuencias de brincar y adelantar etapas en tu vida, sin contar con la madurez que se requiere para vivirlas.

A los dos meses de haber comenzado a convivir con mi príncipe, quedé embarazada. Era un embarazo de alto riesgo dada mi edad, y las visitas al doctor eran semanales. Mientras tanto, mi príncipe comenzó a construir una pequeña casa de madera en los altos de la vivienda de sus padres, y como yo pensaba que estaba jugando a la casita, estaba segura de que ese sería mi castillo.

Vida infernal

La casita no estaba bien terminada cuando comenzamos a vivirla. Necesitábamos ese tiempo solo de pareja. Yo creía que comenzaría mi historia de familia, pero la realidad es que pronto se volvió obscura.

Naturalmente, a los 17 años que tenía mi príncipe, él deseaba seguir viviendo las etapas de su edad. Deseaba salir con los amigos, tomarse unas cervezas, amanecerse en la calle, mientras se sentía tranquilo al saber que había una persona esperando allí para un acto sexual seguro, tan pronto llegara, sin importar en qué condiciones llegara.

Mi ilusión de jugar a la casita se convirtió en un infierno. De lunes a jueves, parecíamos una parejita joven normal, luchando por seguir hacia adelante. Pero, tan pronto llegaba el fin de semana, el alcohol y el resentimiento de haberme embarazado dominaban las emociones de mi príncipe y comenzaba el maltrato.

Poco a poco logró aislarme de mi familia y del mundo exterior. Yo perdí el derecho de tener amigos, perdí el derecho de continuar mis estudios (solo estaba en séptimo grado cuando decidí irme a vivir con él), perdí el derecho de una vida fuera de la casa. Tenía que esperar a que él llegara. A la semana de cumplir 14 años di a luz a mi primogénito, hijo varón al que traje al mundo con mucha ilusión. Era el primer nieto de ambas familias.

Tenía mucho miedo cuando comenzaron los dolores. Nadie me había explicado qué iba a sentir, ni como era el proceso. Mis abuelos me llevaron al hospital. Lloraba y me retorcía del dolor en silencio, pues me comentaron que, si lloraba y gritaba, las enfermeras me maltratarían. Deseaba con todo mi corazón que mi mamá estuviera allí. Sabía que eso nunca ocurriría y no quería estar sola, así que apretaba los tubos de la cama hasta que llegó el momento.

Y nació mi hijo. Ese hijo varón que hoy recibía en mis brazos, aun siendo yo una niña, se convertiría en mi inspiración para vivir. **Un hijo varón, que, al mirar sus ojitos, me enseñó que el amor a primera vista era real.** Un gran varón que en el futuro me daría las lecciones más grandes de la vida.

Tenía la esperanza de que mis circunstancias cambiaran con el nacimiento de nuestro hijo, pero una vez más estaba equivocada. Aun puedo recordar los sonidos de la noche que me aterraban sabiendo que estaba sola e indefensa en la casa. Deseaba que él llegara para no sentir miedo y a la vez, cuando escuchaba el sonido del carro llegar, mi corazón palpitaba de terror: *"¿Habrá llegado borracho?, ¿Estará tranquilo hoy?, ¡No le lleves la contraria en nada!, ¡No pelees!"*. Durante los primeros dos años de vida de mi hijo, todo fue bajo el mismo abuso.

Esta es la historia que las películas no muestran. No logras ver las lágrimas de una niña sufriendo de dolor, llena de miedo, angustiada, avergonzada y rota. No muestran las cachetadas, los halones de pelo, las veces que te escupen y te tiran la comida. No muestran el abuso sexual de un hombre hacia una mujer y mucho menos si son "pareja" o "conviven", pues eres "su" mujer y ese es un deber. Aun puedo sentir el sudor de su cuerpo contra el mío, el aliento pesado del alcohol en su boca cuando llegaba de madrugada y se forzaba encima de mí. No podía gritar, pues mi hijo se despertaba y si me veía llorar, el panorama se empeoraba. Bajo ese escenario aprendí a enterrar las emociones, a no mostrar dolor, aunque sintiera que me moría por dentro.

Desesperación

A los 16 años, cansada de tanto maltrato, angustiada de estar tan lejos de todos, con la desesperación de no creer que había escapatoria de esa relación, quise terminar con mi vida. Era una noche bajo un llanto desconsolado, de esos que sientes que ya no hay posibilidades de derramar más lágrimas, cuando de tanto llorar sientes que hasta los pulmones te duelen y te cuesta respirar.

El niño estaba en su cuna y solo podía pensar en cada frase, cada palabra que mi príncipe me decía como si fuera un rosario. No lograba apagar las voces. Eran tan fuertes en mi cabeza que eran como una canción que logré memorizar y creer. No le veía valor ni sentido a mi vida. *"Nadie se fijaría en una joven rota. Mis padres jamás me perdonarían y mi hijo estaría mejor sin mí"*, pensé. Esos pensamientos eran como agujas en mi corazón y solo deseaba silenciar las voces. Esa noche busqué alternativas y mis ojos se fijaron en un pote que había dejado sobre la barra de la cocina. Era el pote de cloro, un desinfectante. Tomé un vaso del gabinete, lo llené hasta desbordarse y sin pensarlo me lo tomé.

Inmediatamente sentía cómo mis cuerdas vocales y toda mi garganta se quemaban. De manera inmediata mi cuerpo comenzó a temblar. Sentía el olor del ácido que me subía por la nariz y un dolor en mi estómago que hizo que cayera al suelo. Entre gemidos de dolor, miedo y arrepentimiento, comencé a vomitar. Era tanta la fuerza que mi cuerpo hacía rechazando el veneno, que, con cada impulso, mi cuerpo quedaba más débil. Recuerdo que mi hijo comenzó a llorar, pero yo estaba paralizada. No podía levantar ni la mirada.

En esos precisos instantes, mi príncipe llegó. Podía escuchar sus pasos subir por las escaleras, y sus quejidos al escuchar al bebé llorar mientras abría la puerta. Fue directamente al cuarto, tomó el bebé en sus brazos mientras gritaba mi nombre preguntándose dónde estaría. Al llegar a la cocina y verme tirada en el suelo, abrazada por mi propio vómito, lo que hizo fue burlarse de mí. Me dijo que era una cobarde; que ni queriendo morir escaparía. Me dejó allí en el suelo. Allí amanecí hasta que pude cobrar fuerzas para gatear hasta el baño, y acostada en la ducha, le suplicaba a un Dios que desconocía, que me diera una salida.

Al mirar hacia el pasado y recordar esa dolorosa escena, pienso en la necesidad que tenía esa versión joven de mí. Necesitaba que alguien llegara a mi vida y me dejara saber que existía un Dios que me amaba, sin importar la condición en la que yo estaba.

Necesitaba que alguien se acercara y me dijera que la vergüenza que cargaba por haberle fallado a mis padres, Dios la podía transformar. Necesitaba pedir y recibir perdón. Alguien tenía que dejarme saber que el príncipe azul que presentan detrás de una pantalla no siempre es quien tú piensas que es. **Necesitaba escuchar que no había nacido para sufrir ni para llorar, que no era alfombra de nadie.** Necesitaba saber que Dios había creado un propósito para mí y que sus planes eran de bien y no de mal.

Característica de una Guerrera:

Resiliencia

Esa niñez interrumpida por decisiones propias y por falta de conocimiento me hicieron resiliente. Hoy muchos admiran cómo puedo sonreír en la adversidad, cómo puedo seguir caminando y luchando cuando otras en mi lugar se hubieran rendido. Muchos son testigos de cómo me levanto por encima de las adversidades, pero muy pocos conocen cómo llegué a la resiliencia.

Muy pocos saben que cuando le tocas la puerta a la muerte y Dios te devuelve el derecho de vivir… ya nada será tan fuerte como para derrumbarte. #sevalellorar

Las guerreras también lloramos, pero sabemos esto:

Por todos lados nos presionan las dificultades, pero no nos aplastan. Estamos perplejos, pero no caemos en la desesperación. Somos perseguidos, pero nunca abandonados por Dios. Somos derribados, pero no destruidos.
(2 Corintios 4:8-9)

Lágrimas
de decepción
Expectativas idealizadas

Lágrimas de decepción
Expectativas idealizadas

Si has leído la Biblia en algún momento, tal vez llegaste a leer la historia del hijo pródigo. Es una historia hermosa que se encuentra en el Evangelio de Lucas.[1] En resumen, la historia relata la vida de un joven que aparentemente tenía todo lo necesario para vivir una buena vida. Un buen día, creyendo saber lo que quería en la vida, le pide a su Padre la porción de su herencia que le correspondía. Aunque su padre no había muerto, decidió darle al hijo su porción. Este hijo se fue lejos de su padre, donde vivió un tiempo gastando todo su dinero en bebidas, prostitutas y todo lo que se le antojaba. Pero, cuando todo se acabó y comenzó a pasar hambre, se vio obligado a buscar trabajo. Los dueños de una finca lo pusieron a velar los cerdos. Pasaba tanta hambre que deseaba la comida que se les lanzaban a los cerdos y se dio cuenta que lo correcto era regresar a la casa de su padre. Allí hasta los que servían tenían todo tipo de cuidados y la comida que deseaban. Este joven estaba dispuesto a regresar, pedir perdón y trabajar en la casa de su

---

1   Lucas 15: 11-32.

padre para poder recuperar lo que un día dejó atrás. Para su suerte, al regresar, su padre salió corriendo a recibirle, lo besó, le puso anillo nuevo y vestiduras, y mandó a hacer fiesta en su honor.

Yo no conocía esta historia, mucho menos a Dios, pero algo sí sabía: era necesario escapar por mi vida y regresar a la casa de mis padres. Y eso fue lo que hice. Al enterarme de su regreso a Puerto Rico, me armé de valor, me atreví a escapar de la relación, y aunque fue con mucho miedo a que mi príncipe me persiguiera y me hiciera daño, tomé mi culpa y mi vergüenza, pedí perdón y para mi sorpresa, mis padres me recibieron.

Quisiera decirles que mi escenario fue el mismo del hijo pródigo, pero eso no fue así. Aunque ellos me recibieron y me propuse volver a estudiar y comenzar a restaurar mi vida, cuando brincas etapas, en algún momento dado deseas recuperarlas.

Comencé a salir y a ingerir alcohol. Llevaba una vida descontrolada queriendo beber mis penas. ¿Y cómo no hacerlo? Mi papá era alcohólico para aquel entonces, por lo que el ejemplo no estaba tan lejos de mí.

Era como estar perdida. Me levantaba cada día sin saber hacia dónde se dirigía mi destino. No conocía mi propósito. Lo que cargaba por dentro era mucho resentimiento, mucho dolor y lo que deseaba era que el sexo opuesto pagara por el daño que mi príncipe me había hecho. Seguía añadiendo disfunción a mi vida. Hasta que un día, mi madre, desesperada, me hizo una invitación a una pequeña iglesia cristiana que había en el barrio. Su desesperación para que Dios hiciera un milagro en mí la llevó fuera de su zona de costumbre, y provocó una relación que cambiaría nuestra familia.

Nunca había entrado a una iglesia cristiana. Aunque era algo desconocido, no sentía miedo. Unas primas lejanas iban todas las semanas y les dejé saber que ese sábado en la noche, visitaría el templo. Como el estigma era que una mujer cristiana vestía siempre con traje o falda, yo quise vestirme de esa manera. Al llegar y entrar, la gente comenzó a acercarse. Me abrazaban como si me conocieran. Me felicitaban por estar allí. Sentía su gozo genuinamente. Eso me marcó. Me hicieron sentir especial.

Había pasado tanto tiempo sin que alguien me hiciera sentir así, que no supe cómo reaccionar ante el amor expresado de personas que ni siquiera me conocían y no tenían idea de mis vacíos. Cuando comenzó el servicio escuché la adoración. Cada nota musical, cada sonido, cada palabra cantada era como una seducción a mi alma. No podía salir de mi asombro. Comencé a sentir un río de emociones. Quería llorar, pero no sabía el porqué. Me sentía segura por primera vez en tantos años.

El encuentro

No recuerdo cuál fue el sermón que el Pastor predicó esa noche. Solo recuerdo que los músicos comenzaron nuevamente a ministrar, y el Pastor preguntó si alguien deseaba aceptar a Jesús como su Salvador; si alguien deseaba un cambio de vida. Mi corazón se quería salir del pecho. Mis lágrimas comenzaron a derramarse como si alguien abriera las compuertas de un río. Salí corriendo y allí le entregué mi vida al Señor.

No les voy a negar que ese encuentro fue bien especial. Comencé a conocer a Dios. No sabía que podía tener una relación con Él. Desde pequeña mis abuelos me enseñaron que había un Dios, pues ellos eran católicos, pero nadie me dijo que se podía tener una *relación* con Él. Estuve unos meses bien conectada, buscando aprender más, relacionándome con otros jóvenes cristianos y sanando un poco los eventos de mi vida.

Realmente tenía la expectativa que ahora que había conocido al Señor, ahora que estaba en el "buen camino", la vida sería color de rosa. Yo pensaba, como dice un viejo himno: *"no puede estar triste un corazón que tiene a Cristo",* pero esa es una falsa aseveración que creen algunas personas.

Nadie me había explicado que servirle a Dios era de valientes. Una persona que sirve a Dios lucha con los

LAGRIMAS DE UNA GUERRERA

mismos demonios y tentaciones que una persona atea. Llevar una vida de integridad y rectitud es un desafío. Es aún más difícil cuando eres una joven adulta, que ya has experimentado todas las ofertas del mundo. Si no identificas un mentor dentro de la iglesia, mantener las costumbres de tu pasada vida, fuera de la vida nueva que quieres llevar, es casi imposible. Me di cuenta de esto demasiado tarde.

¡Quería tanto ser amada! Quería el amor de las películas. Quería experimentar esa sensación que presentan en la pantalla gigante. Ese momento cuando conoces a alguien especial y todo el ruido es silenciado, todo el movimiento se paraliza y por un instante todo parece ser perfecto. Anhelaba que un hombre me mirara, no con un deseo de lujuria, sino con un deseo de amor.

Al estar asistiendo a la iglesia, yo pensaba que toda persona que confesaba servir a Dios era santa. Genuinamente creía que todos los hombres que iban a la iglesia eran diferentes a los hombres que había conocido en la calle. No sabía que luchaban contra las mismas tentaciones, los mismos males, las mismas debilidades que quienes nunca habían conocido a Dios… solo que aquellos que le entregan sus luchas a Dios logran vivir una vida agradable, pero aún hay quienes pueden estar asistiendo a una iglesia, pero no internalizan lo que allí se les predica.

¿Una segunda oportunidad?

Un tiempo después de haber decidido llevar una vida en Cristo, conocí a un joven adulto quien había perseverado en la iglesia desde joven. Nos conocimos trabajando como voluntarios luego del paso de un huracán en Puerto Rico, y al enterarme que conocía a Dios, pensaba que era perfecto. Estaba segura de que esta era la oportunidad para rehacer mi vida al lado de una persona que me acercaría a Jesús.

Él sabía que yo asistía a la iglesia. De hecho, lo invité en varias ocasiones y asistió conmigo. Estaba tan segura de que nunca más volvería a vivir todo el maltrato que había vivido con el padre de mi hijo, y mucho menos si este hombre iba a la iglesia conmigo. Esta era mi oportunidad para el romance que había anhelado.

En el transcurso de los meses que estuvimos de noviazgo, nadie me había explicado que, dentro de la misma comunidad de fe, se pueden presentar posibilidades de relaciones que no necesariamente eran idóneas. En mi mente solo veía un hombre que no ingería alcohol, no tenía vicios y le gustaba asistir a la iglesia. No es común escuchar una charla que hable de las compatibilidades que deben identificarse dentro de las relaciones. No conocía otra doctrina que no fuera la que yo aprendí y practicaba en la iglesia donde asistía.

Por eso, tres meses de noviazgo después, sin habernos dado la oportunidad de conocernos bien, sin examinar nuestros pasados, sin hablar de las cargas emocionales escondidas que cada cual llevaba, tomamos la decisión de casarnos. Ya que ambos habíamos experimentado las relaciones sexuales fuera del matrimonio, era mejor *"unirnos que andar por ahí a escondidas teniendo relaciones"*. Y eso hicimos. A los seis meses, ya éramos marido y mujer.

El corazón de una mujer que ha sido herido antes de llegar a los pies de Jesús piensa que no vale la pena amar. Ese mismo corazón, al llegar a conocer una verdad que restaura, llega a la conclusión que tal vez sufrió porque no supo esperar conocer a la persona correcta. **El corazón de una mujer que llega a los pies de Jesús desea amar intensamente y se llena de esperanza, pero nadie le dice que debe ser un proceso.** Nadie le enseña que hay áreas que necesita sanar, entregar y cortar para evitar fracasar nuevamente. Nadie le advierte el papel protagónico que su crianza, su pasado y su entorno juegan en sus relaciones. Nadie le advierte tampoco el papel protagónico que la crianza, el pasado y el entorno de su pareja juegan en sus relaciones.

Nueva doctrina

Al casarnos el deseo de mi esposo era asistir a su iglesia de crianza; el lugar que él conocía como el lugar correcto para servir a Dios. Recién casada y completamente enamorada, no pensé dos veces en decirle que lo seguiría dondequiera que fuera. Comenzamos a asistir a su iglesia de crianza, y aunque se predicaba el mismo evangelio, la doctrina de esta iglesia era mucho más rígida y mucho más prohibitiva. El Dios de amor que había conocido, que me restauró, de repente cambió a un Dios que me condenaba por todo. Eran más los mensajes prohibitivos que los mensajes que me acercaban a Él.

Era un constante bombardeo para no estar con personas que no conocían a Dios, a no escuchar algún tipo de música, a no vestir de una manera, a no visitar algunos lugares. Servir a Dios se convirtió en una carga; en un constante sentimiento de persecución donde sentía que en cualquier momento Dios me rechazaría y condenaría al infierno. Intencionalmente me alejaban de quienes no eran como ellos, ni pensaban como ellos. Era "el mundo" vs. ellos.

Comencé a perderme dentro de la misma iglesia. Mi "yo", la mujer que Dios creó con talentos, dones, capacidades, con las aptitudes para marcar la diferencia en la tierra, se comenzó a apagar. Mi "yo real" se fue apagando y un "yo aprendido" surgió.

Ahora caminaba, pensaba, actuaba y me conducía bajo las expectativas de mi esposo y de la doctrina que la iglesia exigía.

Esto es muy peligroso. Aun para este tiempo, con apenas 20 años, continuaba viviendo y buscando agradar a los demás por encima de mis propios sentimientos. Puse todos mis sueños y anhelos en el olvido. Pensaba que si vivía bajo las normas que la iglesia exigía y bajo la conducta que mi esposo deseaba, yo encontraría mi felicidad: la felicidad idealizada en las mejores películas de amor que veía en el televisor.

Nuevamente había depositado mi felicidad en los hombros de otra persona. Miraba a mi esposo esperando que me hiciera feliz, como si dependiera de él. No lograba hallar felicidad propia. Nadie me había enseñado cómo amarme a plenitud, cómo ser feliz conmigo misma, así que toda mi vida esperaba que quien estuviera a mi lado cargara con el peso de hacerme feliz.

Es el error que cometen muchas mujeres. **Ningún ser humano debe ser responsable por la felicidad absoluta de otro.** Debemos, desde la crianza, enseñarles a nuestros hijos y a quienes nos rodean, que el primer amor que debemos conocer es el amor por uno mismo. Una vez logramos ser felices en cualquier estado de nuestra vida, quien llegue después, llega a sumar mayor felicidad.

Y mientras mi "yo" moría, nació mi segundo bebé. Una hija hermosa. Una niña marcada para ser adoradora. Esa fue la palabra que Dios habló sobre ella, aun cuando yo la cargaba en mi vientre. Ella llenaba los vacíos que sentía de haberme perdido. De repente no me enfocaba tanto en los sentimientos vacíos y me distraía con ella.

En la vida, muchas veces logramos distraernos con factores externos que impiden que busquemos la raíz de nuestros sentimientos y problemas. En la mayoría de los casos estos distractores impiden que los enfrentemos. A veces es más fácil ignorar y hacerse el tonto, que enfrentar. Pero, si algo la vida me ha enseñado, es que todo sale a la luz, y llegará el momento donde no podremos huir más y tendremos que hacerles frente a nuestros gigantes.

Tuve muchas experiencias hermosas en aquella iglesia, pero nunca sentía que era el lugar donde Dios quería que permaneciera. Me comencé a alejar de mi familia, porque según mi esposo, ellos llevaban un estilo de vida contrario a lo que Dios demandaba. Él no deseaba exponer su hija a "ese ambiente". Se le olvidaba que aun los que, para él, no habían conocido a Jesús, también fueron creados a imagen y semejanza del Padre. No debería haber tal separación.

El tiempo seguía pasando. Se supone que fuera feliz. Había conocido a Dios, tenía un esposo que no hacía las cosas que hizo el padre de mi hijo y ahora tenía una hermosa hija. Tenía dos hijos que estaban aprendiendo de Dios. Pero, no era así. Me sentía más desolada que nunca. Aunque siempre sonriendo y con la personalidad que Dios me dio, todos pensaban que yo estaba feliz. Esta es otra característica de una guerrera: *sabe fingir.* Siempre que alguien preguntaba, la respuesta era la misma: "Estoy bien", "Estoy en victoria", "Aquí, como Dios quiere". Pero, realmente, ¿eso era lo que Dios quería para mi vida?

Comenzó dentro de mí una gran batalla. Era un constante conflicto entre mi "Yo real" y mi "Yo aprendido". Todo en mi vida se sentía como una carga. Comenzaron a salir las diferencias entre nosotros. Yo era extrovertida y mi esposo, introvertido. Me encantaba visitar personas y que me visitaran, pero él era más casero y pasivo. Yo deseaba algo más en la vida y él era conforme con lo que ya tenía.

Todas estas cosas que se supone se identifiquen en un noviazgo, yo las estaba descubriendo ahora, después de haberme casado y comprometido ante Dios. Por más que quería explicar mi punto de vista, era rechazado. Vivía en completa amargura y estaba llegando a mi límite de resistencia. Todos los días eran días de conflictos, ya fueran internos donde solo Dios se daba cuenta, o externos en disputas con mi esposo. Estaba alejada de todos los que me amaban, y las amistades que tenía o con las que podía compartir tenían que ser del mismo pensamiento de él. Me sentía sola. Comprendí que puedes estar rodeada de miles de personas y aun así sentir que no hay nadie a tu lado.

Es de sumo peligro no entender que la iglesia es para pecadores, no para santos. De la misma manera que los enfermos entran a un hospital para buscar ayuda y sanar lo que está afectado, así aplica en la iglesia. La mayoría de quienes asisten a una iglesia llegan bajo quebranto. Pueden llevar una vida entera sin identificar ni sanar heridas que iniciaron desde el vientre y aun en la misma iglesia. Quien va a una iglesia está en proceso de sanar y no es perfecto. Como dije anteriormente, los creyentes batallan con los mismos demonios, los mismos defectos y las mismas debilidades que un ateo. La diferencia es que los creyentes depositan sus batallas en las manos de Dios y Dios se perfecciona en su debilidad.

Así pasaron dos años más y llegó el embarazo de mi segunda hija. Ya yo estaba decidida a abandonar la relación, cuando me dieron la noticia. Yo no estaba buscando un tercer embarazo, estaba buscando un escape, pero supe de manera inmediata que ella estaba en los planes de Dios. Siempre supe que Dios me había mirado como la persona capaz de recibirla, de amarla y criarla. Aunque mi mundo alrededor se hacía pedazos, ella me deba una razón para continuar. Fue de sorpresa para ambos, pero esto le dio un rayo de esperanza a la relación. Ella sería una gran profetisa. Ella sería quien en el futuro se encargaría de orar por su mamá.

Al poco tiempo de mi princesa nacer, cuando apenas tenía el año de nacida, la compañía para la que trabajaba decidió enviarme a París para participar de un Expo y negociar aceite de oliva para Puerto Rico. Imagínate mi alegría. ¡La hija de Miguel y Noris, del campito hermoso de Corozal, Puerto Rico, en Europa; y nada más y nada menos que en París! Fue en el otro lado del mundo que descubrí una gran realidad que cambió mi vida para siempre.

Característica de una Guerrera:

Empatía

Estaba llena de expectativas acerca de lo que vendría con una nueva vida, con una nueva pareja y con una relación con Dios. Hice todo lo humanamente posible por vivir un estilo de vida que le agradara a mi pareja, a los pastores, a los hermanos de la iglesia, y me perdí. Para una guerrera es fácil conectar con las emociones y los deseos de quienes la rodean. Ser empática y ponerse en los zapatos de otros es el motivo que muchas veces la coloca en la brecha, luchando por quien ama. El problema es no saber ser empática consigo misma.

*Las guerreras muchas veces
luchan con más fuerza en una batalla
a favor de otros, que cuando les toca
luchar por ellas mismas.*

Ya habiendo conocido la Palabra de Dios, he comprendido que es necesario amarme igual o más que amar a los demás, ya que el mandato de Dios es amar a mi prójimo como me amo a mí misma. Si no somos capaces de amarnos, de aceptarnos y de abrazar a nuestro "Yo real", no seremos capaces de amar a otros como es debido. Podremos vivir una vida entera comprendiendo y luchando por los demás, ignorando que Dios desea que hagamos lo mismo con nosotras mismas.

Las guerreras también lloramos, pero sabemos esto:

"...Cada cual debe amar a su prójimo, como se ama a sí mismo." (Marcos 12:31, TLA)

En Gálatas 1:10 (TLA) dice: *"Yo no ando buscando que la gente apruebe lo que digo. Ni ando buscando quedar bien con nadie. Si así lo hiciera, ya no sería yo un servidor de Cristo. ¡Para mí, lo más importante es que Dios me apruebe!"*

Más claro, imposible. Abandonar tu "yo" por agradar a los demás, vivir una vida fingida, detrás de una máscara, donde te pierdes para que otro sea feliz mientras tú vas muriendo, no es la voluntad de Dios.

Una verdadera guerrera sabe mantener postura, es firme y camina bajo el "Yo" que Dios diseñó. #sevalellorar

Lágrimas
de rabia

Digna para Dios, pero no para los hombres

Lagrimas de rabia

Digna para Dios, pero no para los hombres

Estaba tan emocionada por mi viaje a París, que era de lo único que hablaba. Mientras preparaba la maleta, decidí buscar información del clima para estar preparada. Al hacer la búsqueda, caí en cuenta que estaría viajando para una época bastante fría. Ya mi jefe me había advertido llevar ropa cómoda, ya que estaríamos visitando varios lugares y caminando mucho. Para una de las actividades iba a requerir utilizar pantalones y, como recordarán, ya no los utilizaba. Era parte de la doctrina de la iglesia donde asistía y para mi esposo, eso era pecado. Tenía una batalla interna tan fuerte que, en lugar de alegría, ahora cargaba sentimientos de culpa.

Unos días antes del viaje, durante mi hora de almuerzo en el trabajo, le pedí a una compañera que fuera conmigo para comprar unos mahones. Al llegar al centro comercial, sentía que el corazón se iba a salir del pecho. Me latía tan fuerte que no podía disimularlo. Ella me observaba en silencio, pues era consciente de la batalla en mi interior. Ya en la tienda, ella me ayudó con mucha paciencia y entusiasmo. Fui al mostrador y al ponerme el pantalón, algo en mí se estremeció. Fue un instante de alegría, como si me viera al espejo por primera vez en cuatro años. No me había dado cuenta de cuán desconectada estaba de mí misma.

Pasé a la cajera y compré dos pantalones. Los metí en la cartera para que nadie los viera y terminé mi turno de trabajo. Al llegar a casa, fui de prisa a la maleta y coloqué los pantalones en el fondo, debajo de toda la ropa que ya estaba empacada. No le comenté a mi esposo sobre la compra, pues no quería pasar la noche antes del viaje escuchando que era una hija del diablo por la compra que había realizado. Simplemente guardé silencio.

Al otro día, al fin había llegado el día para visitar una de las ciudades más hermosas… París. Estaba bien entusiasmada por esta experiencia que la vida me estaba regalando. Al sobrevolar la cuidad, mientras el avión se acercaba, sentía muchas emociones. Mi mente parecía un campo de batalla. No lograba salir de mi asombro.

¿Quién lo diría? Estaba a punto de aterrizar en París. La misma mujer que se convirtió en madre a los 14 años; la que no pudo terminar su secundaria con la corriente regular, sino que finalizó su cuarto año vía exámenes libres del gobierno. La misma que entró por las puertas de una mega cadena a solicitar un puesto de secretaria, porque pensaba era lo único que podía realizar y con un simple GED (un examen dado por el Estado). La que nunca había manejado una responsabilidad como esa. Esa misma mujer que había vencido todas las probabilidades en su contra, todas las estadísticas que decían que nunca prosperaría. La que nunca se dio por vencida, hoy estaba ocupando un lugar que muchas personas bajo una carrera profesional larga y con muchas más credenciales, no habían alcanzado. Solo pude suspirar y dejar caer las lágrimas al reconocer el favor y la gracia de Dios.

Fue un viaje largo y agotador de trece horas y cambios de avión. Pero al fin estaba en la ciudad. Nos alojamos en una hermosa hospedería. Era idéntica a las fotos que había visto. Estaba a pasos de la Catedral. Al llegar a la habitación comencé a desempacar todo, incluyendo los dos pantalones que había comprado en secreto. Ya estaba deseosa de que amaneciera pensando que mi mayor reto sería la asignación corporativa que me llevó hasta allá, sin saber que realmente era un movimiento de Dios para reencontrarme conmigo misma.

Los primeros tres días fueron agotadores. Nos levantábamos bien temprano, caminábamos y tomábamos un tren para llegar a la Expo. Eran horas largas en aquel lugar donde apenas almorzábamos. Trabajábamos hasta largas horas de la noche. Al terminar el día, el agotamiento provocaba el deseo de un baño, y directo para la cama.

Durante la tarde del cuarto día, nuestros compañeros de España nos invitaron a cenar y nos llevarían a la famosa *Torre Eiffel* y a otros lugares icónicos de la cuidad. Dado a las bajas temperaturas, la lluvia, y las fincas, era necesario usar los pantalones y botas. Recuerdo exactamente el momento en que me preparé para salir. Miraba los pantalones encima de la cama como si portaran un ojo condenador. Tragué profundo y me los puse. Al terminar de arreglarme, me acerqué al espejo para asegurarme que todo estuviera en su sitio y al ver mi reflejo, me quedé paralizada. Estuve frente al espejo varios minutos sin decir nada. Allí estaba parada la mujer que había dejado atrás hace cuatro años. Frente a mí estaba el "yo" que Dios había creado. Me volví a ver.

Jamás me hubiese imaginado que tendría que viajar 4,310 millas aéreas para encontrarme conmigo misma. Allí solo estábamos Dios y yo. Allí me abrazó. Allí me llevó nuevamente a Gálatas 1:10: *"Queda claro que no es mi intención ganarme el favor de la gente, sino el de Dios. Si mi objetivo fuera agradar a la gente, no sería un siervo de Cristo".* Invertí tantos años buscando el agrado y aprobación de todos los que me rodeaban, que se me olvidó el agrado de Dios.

Soy consciente de que este punto es debatible, pues hay muchas mujeres que practican esta doctrina y mi intención no es señalar ni decir que están mal... solo recalco que cuando tener una relación con Dios es percibida y juzgada por lo que te pones, estás enfocada en el agrado incorrecto. Y como aguas que salen de una represa que estuvo cerrada por años, así salieron mis lágrimas y volvieron a mis sentimientos, pensamientos, sensaciones de plenitud, y lloré con la misma intensidad que fluyen las aguas al abrir las compuertas.

Allí no había nadie con expectativas, no había nadie listo para juzgar o señalar. Ellos no conocían mi historia, ellos solo me veían a mí. Esa noche, a miles de millas de distancia me encontré con la mujer que había enterrado. No la mujer de malas costumbres, sino la mujer que Dios siempre quiso que fuera feliz.

Mi estadía en Paris fue inolvidable. Me sentía feliz. Me sentía libre. Estaba deseosa de regresar a la Isla y poder compartir mi libertad con todos. Al llegar estaba tan entusiasmada por contarle a todos a los lugares maravillosos que visité, las anécdotas del evento, y la gastronomía de París, que, al comenzar a desempacar mi maleta, se me habían olvidado los pantalones que me había llevado.

Cuando mi esposo los vio... todo su mundo se vino abajo. Se volvió histérico, como un loco. Tomó con fuerza la ropa, comenzó a gritar. Estaba indignado. Genuinamente sentía que yo estaba poseída. Según él, yo había caído fuera de la gracia de Dios. Él se encargó de hacer desaparecer la ropa y de salir corriendo a hablar con nuestros pastores.

Esos días fueron fuertes. Su trato hacia mí era frio, distante y lleno de juicio. Me sentía como la peor criminal. Mi lucha interna entre la experiencia que tuve con Dios en aquella habitación y el desprecio de mi esposo me colocó al borde de un precipicio.

Humillación y retroceso

Esa misma semana, al llegar a la iglesia, mi Pastora me llamó aparte para dialogar conmigo. Me llevó a la parte debajo de la iglesia, a un salón privado y comenzó a dialogar conmigo. Sus palabras eran como alfileres penetrando mi corazón. Ella comenzó a decirme que mi esposo le había llevado la queja de mi uso de pantalones. Me dijo que era contrario a lo que ellos predicaban. Me dijo que yo estaba siendo piedra de tropiezo para mi esposo.

Las lágrimas de coraje bajaban por mi rostro. Estaba frente a una de las figuras espirituales que amaba profundamente, y no podía entender cómo me expresaba lo mal que yo había actuado. Fue entonces cuando de su boca salieron las palabras que provocaron en mí una de las más profundas heridas: *"Necesitamos ponerte en disciplina"*. Estaba bajo un asombro que no lograba entender lo que ella me estaba diciendo. Mi cara de confusión era tan evidente, que ella comenzó a explicarme: *"Ya no puedes predicar, no puedes cantar, no puedes ejercer nada en la iglesia, hasta que des frutos de arrepentimiento".*

¡Ya no era digna!

No era digna para predicar el evangelio de Jesús. No era digna para emitir sonidos y cantarle a mi Dios. Ellos me alejaron de todos los dones que Dios me había dado. Necesitaba permanecer sentada y callada. Tenía que esperar que *ellos* vieran en mí el "fruto" o el "testimonio" que *ellos* encontraban que me hacía digna de retomar mi lugar en la iglesia.

Esas fueron las palabras que me llevaron a caer por el precipicio. No lograba reponerme. Era como sentir que seguía cayendo por un vacío obscuro. Me hicieron sentir que Dios no me amaba, que Dios rechazaría mis palabras. Que sus oídos estarían cerrados a mi adoración. Según ellos, ya no era digna.

Estas palabras me llevaron a correr en la dirección contraria de Jesús. Fue el comienzo de mi separación del templo, de la estructura física, de las reuniones congregacionales. No lograba entender cómo exponer a una persona ante una "falta" y colocarla en una posición de humillación pública, donde todas las personas que se congregan en ese lugar tengan que ver que fallaron; exponerlos a que sean juzgados más severamente por otros pecadores y ponerlos bajo una lupa humana que espera un fruto que ellos encuentran que es digno, era reflejar la gracia, la misericordia y el amor de Dios... simplemente no lograba ver a Dios ante un acto tan humillante.

Esto fue lo que hizo que me alejara del propósito de Dios para mi vida. Comencé a vivir nuevamente haciéndome la sorda a la voz de Dios. Me llené de ira y de resentimiento. El coraje y la decepción se apoderaron de mi corazón. Mi relación matrimonial se fue deteriorando de manera acelerada, pues yo estaba "*contaminada*" y era piedra de tropiezo para muchos. Comencé a caer en un espiral profundo que me disminuía como mujer y laceraba mi identidad. El "yo" que había adoptado nuevamente quedó perdido. Comencé a abrir puertas sin saber lo peligroso de la situación y el riesgo que corría, del cual pocas mujeres logran recuperarse.

Característica de una Guerrera:

Siempre mostrará su mejor sonrisa

Es común en una mujer que es considerada una guerrera, verla sonreír y confesar que "todo está bien", aunque en su interior la batalla sea tan fuerte, que provoque un espantoso dolor. No recuerdo el lugar donde leí que **hay miles de lágrimas que no llegan a los ojos, pero permanecen en el corazón.** Esa frase es real y palpable en la vida de una guerrera. Es común que llore cuando nadie la ve, cuando está a solas, mientras se baña para que sus lágrimas queden atrapadas en el agua que cae sobre su rostro.

Las guerreras también lloramos, pero sabemos esto:

"El secará sus lágrimas, y no morirán jamás. Tampoco volverán a llorar, ni a lamentarse, ni sentirán ningún dolor, porque lo que antes existía ha dejado de existir." (Apocalipsis 21:4, TLA)

La mejor promesa que cargamos de todas las lágrimas que hemos derramado es saber y confiar que cada una de ellas, Dios las ha tomado en cuenta. Atesoramos la promesa de no volver a llorar, de no volver a lamentarnos por aquellas cosas que en nuestra experiencia terrenal nos lastimó. Esta promesa, este versículo, nos transporta a la falda de un Padre amoroso que seca las lágrimas de una hija en señal de que todo estará realmente bien.

En Salmos 126:5-6 dice:

"Los que siembran con lágrimas cosecharán con gritos de alegría. Lloran al ir sembrando sus semillas, pero regresan cantando cuando traen la cosecha".

Hay batallas que nos van a costar lágrimas.

Lágrimas amargas, llenas de dolor, de donde pensaremos que no lograremos levantarnos. Aunque de nuestros ojos broten lágrimas, es importante recordar quiénes somos en el Señor. Nadie tiene el derecho ni la autoridad para minimizarnos, siempre y cuando no le entreguemos ese poder. Por eso enfatizo tanto en conocer lo que Dios ha hablado de nosotros.

Una guerrera sabe que, si fuerte es la batalla, más grande será la victoria.
#sevalellorar

Lágrimas

de amor

La hija pródiga

Lagrimas de amor
La hija pródiga

Cuando leo la historia del hijo pródigo en la Biblia, me puedo identificar al cien por ciento con el corazón de ese hijo menor que decide irse de la casa de su padre. Es la historia que menciono en el segundo capítulo. Muchos la leen y no logran entender cómo este hijo, teniéndolo todo en la casa de su padre, decide marcharse a vivir y experimentar cosas que genuinamente pensaba que necesitaba. Tienes que haber experimentado ese tipo de dolor, desesperación y vacío para entenderlo. Hoy te voy a dar acceso al corazón y a los pensamientos de un hijo pródigo.

Al apartarme de todo lo que era comunidad de fe, al sentir tanto dolor, rechazo, humillación y desprecio de quienes pensaba que tenían el deber de levantar al caído, perdí toda esperanza. En un abrir y cerrar de ojos, todas las etapas que había brincado me alcanzaron. De momento, el desespero de querer recuperar todo lo que no me di espacio para vivir, llegó a tocar a mi puerta y como el hijo pródigo, quise escapar a un mundo donde podía sentirme libre de expectativas. No quería la responsabilidad de actuar como otros querían que yo actuara. No quería cargar la responsabilidad de otros. Me imaginaba corriendo lejos de todos, como decía mi mamá: deseaba tener alas para poder volar.

Cuando hay vacíos en el corazón y heridas que dominan tus emociones, no logras pensar claramente. Muchas personas al leer la historia del hijo pródigo piensan: "¿Por qué fue tan tonto?, ¿Por qué habiendo tenido todo lo que necesitaba y en abundancia, quiso buscar lo que no se le perdió?".

Un corazón con un vacío emocional no logra razonar correctamente y piensa que, solo saliendo lejos, puede curarse. Es una forma de buscar escapar de una realidad de la cual sientes que no tienes control. De alguna manera piensas que saliendo y apartándote de todo, mágicamente todo cambiará. De alguna manera quieres volver a sentir que tú tienes el control de tu vida. No quieres permitirle a nadie más volver a lastimarte. Levantas un mecanismo de defensa y un caparazón de hierro para evitar sentirte vulnerable. Es como vivir en un mundo donde constantemente estás a la espera que alguien venga a atacarte y, por ende, estás a la vanguardia y prefieres herir primero.

Pero, tú y yo sabemos que esa no es la realidad. **Todo lo que tú no trabajes de frente, a la larga te alcanza.** Esos gigantes que tú decides ignorar salen y se revelan en tu vida en los momentos más vulnerables, y te hacen pedazos. No te dejarán ser feliz, te llevarán a cometer un error tras otro. Sentirás que caminas un paso hacia el frente, y resbalas diez hacia atrás. En un estado de incertidumbre, ni los mejores consejos hacen sentido. Siempre tuve personas a mi alrededor que trataron de darme las mejores palabras, pero mi corazón estaba herido y rebelde. Estaba lejos de Dios, al menos eso pensaba yo. Y tal como el hijo pródigo, quise dejarlo todo, cambiarlo todo y vivir de manera desenfrenada.

Pasos atrás

Así fue como comenzó el espiral que me destruiría. Apartada de la iglesia, mis amistades ya no eran las que me invitaban a orar para ver intervenir la mano de Dios. Ahora las alternativas de consuelo envolvían salidas desenfrenadas, alcohol, un libertinaje no saludable, venganza, entre otras cosas. Tomé la decisión de romper mi matrimonio y le pedí el divorcio a mi esposo. Él ya no lograba verme como una compañera idónea y yo no podía seguir escuchando su religiosidad y fanatismo.

Éramos dos personas completamente diferentes. Creo que siempre lo fuimos, solo que ahora era evidente. Ninguno de los dos nos dimos el espacio de conocernos realmente, de conocer los trasfondos que cargábamos desde nuestra niñez. Lamentablemente en los grupos de jóvenes de las iglesias o de solteros adultos se enfocan más en el mensaje de llegar virgen al matrimonio o en evitar la fornicación que en educar de las compatibilidades que debe tener toda relación.

Así estuve por muchos años; caminando por la vida declarando y creyendo que el amor no era real. Que era un invento que alguien quiso comercializar y ante la falta de este, la gente se creía lo que veían en una pantalla gigante. Mi desenfoque era tan grande, mis heridas me dominaban tanto que dictaminaban mis pasos. Me aparté de todo y de todos. Le huía a ser herida, aunque mis decisiones me herían más.

Durante este periodo de rebeldía, al tiempo comencé otra relación. Ahora buscaba en él todo lo contrario a lo que acababa de dejar atrás. En ese tiempo de querer descubrir quién era yo, me envolví en mi propia confusión y en mi propio reguero mental. Comenzamos una convivencia. Él me apoyaba en todo. En lo bueno y en lo malo. Nunca me juzgó y fue mi escape ante un tiempo tan incierto donde yo no sabía ni qué quería de mi vida.

Tocar fondo

Este tiempo me llevó al punto más bajo de mi vida. Mis padres se llevaron a mi hijo para ayudarme a criarlo, ya que salía de madrugada a trabajar y llegaba de noche. Viajaba al menos una vez cada dos meses a cualquier parte del mundo donde mi trabajo me necesitaba. Así que, buscando el bienestar de mi hijo, se lo llevaron. El padre de mi hijo murió cuando él era solo un niño pequeño. Lo mataron a golpes en un negocio. Mi hijo había quedado huérfano de padre y ahora su madre estaba tan sumida en dolor y resentimiento que había quedado adicta al trabajo y a una vida desenfrenada. Por amor, permití que se fuera a vivir con mis padres. Me sentía culpable de darle ese ejemplo, pero el dolor y la rebeldía eran más fuertes que yo.

En esa misma trayectoria, el padre de mis hijas me llevó a la corte. Deseaba con todas sus fuerzas quitarme la custodia de mis hijas. La razón principal fue por el dolor y la rabia que le había causado al apartarme, divorciarme y vivir una vida desenfrenada. Estaba tan ciego por el dolor, que me declaró la guerra y la luchaba. Por otro lado, él amaba a sus hijas y a veces el amor puedo tornarse egoísta. Las quería solo para él. Resumo casi dos años de acusaciones, abogados, cortes y eventos lamentables, y el tribunal le cedió la custodia. En el momento de mayor necesidad de mi vida, me vi perdiéndolo todo.

Fueron dos largos años de luchas. Dos años donde tuve que tratar de defender mi nombre; donde mi carácter, mi integridad y moralidad fueron puestas a prueba. Dos años donde mi reputación fue arrastrada. Dos años con dedos acusatorios señalándome como pecadora, mala madre, vil y menospreciada. Y de la noche a la mañana solo quedó mi corazón hecho pedazos y mi nueva relación. Mi esposo se mantuvo a mi lado a pesar del caos en el que yo estaba envuelta. Ya no tenía a mi hijo cien por ciento conmigo, pues por amor, mis padres lo cuidaban. Mis hijas vivían con su papá. Solo las tenía fines de semanas alternos y días negociados. Tuve que pagar pensión alimentaria y la mitad de sus gastos.

De momento, las noches eran las más dolorosas. La casa se sentía vacía. Llegaba la hora de dormir y con los ojos llenos de lágrimas me paseaba por sus habitaciones vacías y extrañaba el beso de las buenas noches. Extrañaba sus abrazos y escuchar un: "Mami, te amo". Me sentía completamente sola y hecha pedazos. La sociedad es bien cruel y hablaron tanto de mí. La sociedad no perdona que una madre no críe a sus hijos. Me acusaron de ser mujer antes que madre. Viví un infierno por casi cuatro años.

Mi esposo me apoyaba dentro de sus capacidades, pero él venía de un hogar roto. Sus padres se habían divorciado cuando él era pequeño. Los tres hermanos más pequeños se fueron con su mamá y los tres mayores, él incluido, se quedaron con su papá. Vivió una niñez bien atropellada. A los 12 años un anciano del barrio le vendió su primera pistola. Con eso hacía robos para poder pagar los uniformes a sus hermanos. Un acto lo llevó a otro. Llegó a la adultez sin sentir amor, menospreciado y sin propósito. Estuvo trece años preso. Al salir, quiso cambiar su estilo de vida, En medio de esa lucha mental y emocional nuestros caminos se cruzaron. Yo representé para él la posibilidad de una nueva vida y él llegó a la mía cuando lo había perdido todo. Nuestra relación fue otra crítica y otra lucha por múltiples razones; sería necesario escribir otro libro. Pero dentro del caos, mi mamá me suplicaba que me casara para evitar vivir bajo fornicación, y así lo hice. De algún lado estaba tratando de volver a sentir felicidad. De algún lado quería buscar validez y sentirme plena. Mi esposo podía apoyarme de manera presencial, ya que no podía dar de lo que no le dieron a él.

Ahí estaba, tal y como el hijo pródigo: lo perdí todo. Mi familia descompuesta, mi corazón en mil pedazos, lejos de Dios, sin fe, sin esperanza. Me sumergí en mi trabajo de día y de noche. Nos dedicábamos a tomar alcohol todas las semanas, a gastar dinero en cosas vanas y a vivir como si mañana no existiera. La botella se convirtió en mi mejor amiga cuando no tenía a mis hijos. Tenía 25 años y era alcohólica. Ya nada me importaba.

Mi vacío seguía creciendo. Por fuera la gente me veía fuerte, firme, pero por dentro iba muriendo lentamente cada día. Mi llama se extinguió por completo. El brillo de mis ojos se apagó, la pasión desapareció, era un zombi. Estaba muerta en vida.

Miraba atrás y cuando estaba sola lloraba y gritaba: "¿Cómo llegué a este punto?". Lo peor era no saber cómo salir de ahí.

Estar en un punto como este, donde estás en el suelo, donde sientes que tocaste fondo, es un abrazo de impotencia. Ves los pedazos de tu vida, pero no sabes cómo pegarlos. El enemigo te acusa de estar lejos de Dios y te hace sentir que, por tu estado de vida, no eres digna de volver a su presencia. Quieres pedir ayuda, pero no sabes a dónde. Todo parece un imposible. Algo sí les puedo asegurar; **desde el suelo, todo se ve diferente.**

Así como el hijo pródigo anheló volver a la casa de su padre, mi alma anhelaba conectar con su creador. Lo bueno de ser un hijo de Dios es que **no importa cuán lejos trates de huir, Su amor te alcanza.** El hijo pródigo nunca dejó de ser hijo a pesar de que se fue lejos a vivir una vida desenfrenada. Cuando quiso volver, su padre lo recibió con brazos abiertos, de hecho, estaba esperándolo. Lo recibió con amor. Mandó a que le pusieran vestiduras nuevas, pues es un acto simbólico de volver a darle su identidad. Le puso anillo en señal de un nuevo pacto. Y mandó a hacer fiesta, pues el que estuvo perdido había regresado a casa. Para mi Dios, yo nunca dejé de ser su hija. Dios tenía separada una vestidura nueva para mí. Ya había escogido la señal del nuevo pacto y la fiesta estaba preparada. Solo que yo aun no lo sabía.

Característica de una Guerrera:

Su corazón carga heridas que su cuerpo no refleja

Hay un dicho pueblerino que dice: *"Lo que no te mata, te hace más fuerte"*, y no hay nada más certero que eso. Pero, el problema no es morir. El dilema es cómo llevar una vida caminando con tristezas, vergüenzas y culpas, y tratar de que no te destruyan. Muy bien lo describió el salmista cuando escribió en el Salmo 32:3 (RVR 60) lo siguiente: *"Mientras callé, se envejecieron mis huesos en mi gemir todo el día"*. Hay llantos que duelen tanto que sientes que el cuerpo no va a resistir el dolor, donde te duele tanto el pecho que te falta el aire, y los ojos se cierran solos de tanta inflamación. Hay llantos que sientes que te matan lentamente. Pero estos llantos se experimentan en lo oculto, en la soledad, cuando no hay nadie, solo tu dolor y tú.

Las guerreras también lloramos, pero sabemos esto:

Además, el Espíritu Santo nos ayuda en nuestra debilidad. Por ejemplo, nosotros no sabemos qué quiere Dios que le pidamos en oración, pero el Espíritu Santo ora por nosotros con gemidos que no pueden expresarse con palabras. (Romanos 8:26)

Cuando el dolor nos invade y no encontramos las palabras adecuadas para expresarlo, tenemos al Espíritu Santo de Dios que, como dice la palabra de Dios en Romanos, intercede por nosotros. En mis momentos de mayor dolor aprendí a llorar en silencio delante del Padre y pedirle al Espíritu Santo que interceda por mí.

En Juan 16:22 dice: *"Del mismo modo, ahora ustedes están tristes, pero yo volveré a verlos, y se pondrán tan felices que ya nadie les quitará esa alegría."*

Esa es una esperanza que revive el alma. Hoy puedo experimentar tristeza, pero tengo la certeza de que cuando esté con mi Padre, solo experimentaré alegría. **Las experiencias de este mundo son pasajeras y no determinan nuestro futuro.** Donde hubo tristeza, habrá alegría. Aunque existan cosas que no tienen sentido y temporeramente quieras rendirte, una guerrera sabe que:

El punto más obscuro de la noche anuncia un gran amanecer. #sevalellorar

Lágrimas
de gratitud
El favor que nunca se fue

Lágrimas de gratitud
El favor que nunca se fue

Aunque en la parábola del hijo pródigo el padre no salió a buscar a su hijo, sino que permaneció esperando su regreso, mi Padre me alcanzó con sus cuerdas de amor y se encargó de que llegara el mensaje de su espera por mí.

En la trayectoria de recoger los pedazos de mi vida que había quedado destruida, comencé a experimentar el llamado de Dios para mi vida de manera intencional y agresiva. De la noche a la mañana fue como si en el cielo dieran la orden de detenerme en mi camino y colocarme en la dirección que me llevaría de regreso al corazón de Jesús.

Durante semanas, dondequiera que llegaba, alguien se detenía a darme una palabra de parte de Dios. De mi vida fueron saliendo personas que habían caminado junto a mí por mucho tiempo. Amistades fueron desapareciendo, y personas nuevas llegaron a mi vida. Para sorpresa mía, todas las personas que llegaban a mi vida le estaban sirviendo a Dios. De repente me vi rodeada de quienes se empeñaban en hablarme de parte de Dios. Respetaban mi manera de pensar, pero lograban ver en mí lo que todavía yo no lograba ver en mí misma. Fue una conspiración del reino. Él me estaba rodeando.

Tan fuertes fueron las cuerdas de amor de Dios que hubo tres incidentes corridos que me demostraron que Él estaba definitivamente tocando a mi puerta. Tenía la costumbre de visitar un lugar de consumo de batidos cerca de mi casa. Iba a diario en las mañanas a comprar mi batido. De un día para otro, cada vez que me servían mi batido, la muchacha que despachaba me entregaba mi batido con un versículo bíblico escrito en el vaso. Me estuvo tan curioso que me detuve a mirar si este gesto lo hacía con todas las personas que llegaban al lugar. Para mi sorpresa, no era así.

Fue tanta mi curiosidad que tuve que preguntarle. Su respuesta me dejó sin palabras: *"Es que Papá está tocando a tu puerta"*. Esas palabras me retumbaron. Fueron como dagas enterradas en mi corazón. ¿A qué puerta estaba tocando Dios? No lograba entender bien qué quería Dios de mí. Yo estaba tan descarrilada, tan lejos de Él. Le había fallado, no era digna de su favor y de su gracia, y bajo este estado de vida, ¿cómo era posible que Dios estuviera en mi búsqueda? Como mi lógica humana no entendía esas palabras, las ignoré.

A pocos días de ese incidente, el abuelo de mi mejor amiga se enfermó de gravedad. No le aseguraban la vida. Ella me había llamado desde el hospital. Sabía que ella no me pediría que bajara hasta allá, y decidí presentarme para sorprenderla y estar allí con ella. Su abuelo aún estaba en la sala de emergencia y adentro solo podía estar una persona con cada paciente. Me las ingenié y me ubiqué justo en la camilla al lado de su abuelo, ya que el paciente estaba solo. Conozco de cerca el dolor de las pérdidas, por lo que quería estar allí con ella.

Así pasamos unas horas. Hablamos, nos reímos y hasta una aventura pasamos juntas en aquella sala de emergencia. En un par de horas se presentó la trabajadora social del hospital. Estaba entrevistando los familiares de los pacientes que serían admitidos. Al llegar donde nos encontrábamos, le comenzó a tomar la información a mi amiga de su abuelito. Ella comenzó a escribir, pero cambiaba su mirada en mi dirección. Lo hizo tantas veces que ya me estaba sintiendo incómoda. Yo pensaba que de seguro sabía que yo no era familiar del paciente que estaba al lado y que me solicitaría que me fuera. Se detuvo abruptamente al escribir, me miró fijamente a los ojos y me dijo: *"Dios mío, es que el Espíritu Santo no me deja quieta contigo"* … *"¡Qué clase de llamado portas, mujer!"*. Inmediatamente las lágrimas comenzaron a derramarse por mi rostro, como si alguien hubiese abierto las compuertas de mis ojos otra vez. Ella rodó las cortinas que estaban alrededor de las camillas para crear un espacio de privacidad. Me preguntó si yo sabía quién era ella. Le respondí que no. Procedió a darme su nombre. Era una cantante cristiana de quien yo llegué a interpretar canciones cuando estaba en la iglesia.

Entonces lloré más fuerte. Ella me observó y me dijo: *"Se supone que yo no ministre en este lugar, y si ahora tus lágrimas caen sobre tu rostro, cuando te entregue el mensaje que Dios tiene para ti, entonces sí vas a llorar. Toma mi número y me llamas a las siete de la noche. Dios tiene una palabra para ti".* Se podrán imaginar cómo estaba. No salía de mi asombro. Ella terminó su entrevista y simplemente se marchó.

Cuando levanté la mirada, mi amiga estaba en una esquina, totalmente asombrada y con la boca abierta. Ella conocía mi testimonio. Sabía quién yo era antes de llegar a ser esta mujer rebelde y sin causa. Ella sabía que las palabras de esta mujer eran totalmente certeras. Ambas guardamos silencio y en unas horas me fui.

Esa noche, a la hora acordada llamé a aquella mujer. Ella estaba esperando mi llamada con la certeza que Dios no iba a dejarla en vergüenza. Esa noche me dijo tantas cosas. Me habló del llamado a ministrar que yo cargaba, de la palabra fresca de restauración que Dios me había puesto en la boca y que mi tiempo lejos de Él estaba a punto de terminar. Yo entendía todo y a la vez, no entendía nada. Quería gritar, pero guardé silencio. No dije nada. Tampoco le mencioné nada a mi esposo. Si yo habiendo caminado ya en los caminos del Señor estaba confundida, cuánto más lo estaría él, que nunca había tenido una relación con Dios.

Aun después de esas dos experiencias, tenía mi corazón endurecido. No quise llamar a mi mamá porque sabía cuál iba a ser su respuesta. Me conduciría nuevamente a la iglesia y yo estaba tan segura de que me lastimarían nuevamente o que iba a ser juzgada, que no quería pagar ese precio. Nuevamente, ignoré las palabras. Pasaron unos días y el abuelo de mi amiga falleció. Ella estaba destruida porque ese fue su padre de crianza. Esos días los dediqué a estar a su lado y a ayudarla con los preparativos para el velorio de su amado Abuelo Julio.

La noche del velatorio, estando un buen grupo de personas en la funeraria, el Pastor que daría el servicio estaba retrasado. Así que dieron paso a una participación especial de un maestro para que trajese unas alabanzas y unas cortas palabras. Se me acercaron para ver si les asistía sujetando una pequeña bocina que trajeron para proyectar la música. La tomé en las manos, y me senté en el suelo a ver la pieza. Fueron dos piezas hermosas en danzas y pantomimas.

Cuando el profesor comenzó a traer sus palabras a los presentes, de repente se detuvo. Empezó a hablar y pronunció las siguientes palabras: *"Mis amados, disculpen que me detenga, no tengo la costumbre de hacer esto, pero, el Señor me hace sentir que aquí hay una mujer que desde hace tiempo anda huyéndole y ya es tiempo de regresar a casa. Tu tiempo llegó".* Ya para cuando terminó, las lágrimas inundaban mi rostro y por más que quise ocultarlas era casi imposible. No podía creer que aun en la funeraria, en medio de un servicio, mi Padre interrumpiera para darme aviso. Esa noche supe que mi tiempo huyendo definitivamente había llegado a su final. Tenía que regresar a casa.

El camino de regreso a mi hogar se me hizo largo. Ya era bastante tarde. Mi esposo se había quedado dormido ya, y las niñas no estaban esa noche en casa. Por mi mente pasaban tantos argumentos. Tantos pensamientos y emociones me invadían. Sabía lo que me costaría regresar a sus caminos. Ahora no sabía qué hacer. No sabía qué le diría a mi esposo.

Esa noche estuve peleando con mis pensamientos y emociones hasta que me dominaron. Comencé a llorar. Me tiré de rodillas y le pedí perdón a Dios. Le supliqué su ayuda. Le pedí que entrara a mi corazón nuevamente. Como el salmista, le suplicaba que me limpiara de mi iniquidad y me ayudara a regresar a sus caminos. Sentía cómo su amor me cubría. A solas con Él, reconcilié mi corazón al corazón del Padre. Me reconcilié en un valle de amor y lágrimas. Tanto así que me quedé dormida llorando.

Liberación y regreso

De madrugada, un dolor extraño me despertó. Salí corriendo al baño. Comencé a experimentar unas náuseas extrañas. Tenía el dolor, me encorvaba encima del inodoro, sentía la fuerza de lo que mi cuerpo expulsaba, pero nada físico caía. Estuve así por minutos. Al finalizar, mi cuerpo se debilitó por completo. Caí rendida en el piso. Al ponerme de pies y mirar, no había nada. Todo estaba limpio. Inmediatamente supe que había experimentado una liberación. Esa noche y esa madrugada, en lo más secreto de mi hogar, sin intermediarios, sin la imposición de manos, sin testigos, solo su Espíritu Santo y yo, había entregado mi corazón a Cristo y Él me había hecho libre. Fue exactamente como lo había pedido. A solas con Él.

Esta reconciliación me dio una gran lección de vida. No debemos cuestionar por qué Dios permite que personas salgan de nuestra vida. No debemos cuestionar lo que muchas veces no entendemos. Son fichas necesarias que son movidas para dar paso a lo nuevo que Dios nos entregará. No debemos lamentar quiénes se van o son quitados. Debemos tener apertura a los que Dios traerá y los que llegarán para formar parte de nuestra nueva temporada. También comprendí que mientras busquemos la lógica humana a las cosas de Dios, nos vamos a mantener lejos de lo que nos quiere revelar. Dios no trabaja bajo la lógica humana. Sus pensamientos no son como los nuestros. Sus diseños son únicos. **Fue cuando solté el querer tener todas las respuestas, que descubrí el mundo que Dios había diseñado para mí.** Cuando me rendí y permití que simplemente Él tomara su lugar en mi vida, mi vida comenzó a cambiar y una temporada de restitución había llegado.

Me sentía completamente diferente. Sabía que algo en mí había muerto y algo nuevo estaba naciendo. Ahora comenzaron otros dilemas. ¿Cómo le explicaba a mi esposo que la mujer con la que se casó ya no existiría? Ahora estaba frente a otra versión. Ahora la mujer rebelde que se amanecía, que tomaba, que vivía desenfrenada, había muerto y había resucitado la Hija del Rey.

Característica de una Guerrera:

No pelea si no hay ganancia

Aunque la vida de una guerrera esté llena de múltiples batallas, una mujer guerrera sabe reconocer que, si una batalla se presenta, y esa batalla no tiene un beneficio para ella, simplemente se retira. Hay escenarios, hay batallas que no vale la pena luchar. Si no depende de ti, si no tienes control, si al final de la batalla la victoria no suma valor a tu vida, si no es de bendición... no luches. No todas las victorias están diseñadas para sumar.

Una guerrera sabe que solo las batallas que suman, vale la pena lucharlas.

Las guerreras también lloramos, pero sabemos esto:

*"Entonces el Señor tu Dios te **devolverá** **tu bienestar**. Tendrá misericordia de ti y te volverá a reunir de entre todas las naciones por donde te dispersó".*
(Deuteronomio 3:30)

Entonces nuestro Padre nos hará volver de nuestra cautividad. Dios nos rescatará. Nos cubrirá con sus cuerdas de amor. Dios nos devolverá nuestro bienestar. Nos vestirá, nos pondrá un anillo nuevo y hará fiesta en los cielos.

Él se encargará de colocar
las fichas correctas en su lugar.
Solo nos toca darle el permiso.
#sevalellorar

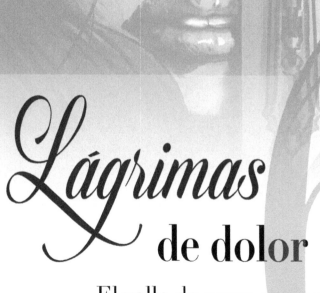

Lágrimas
de dolor
El valle de rosas con espinas

Lágrimas de dolor
El valle de rosas con espinas

Ciertamente en mi casa, mi trabajo y mis amistades comenzaron a ver el nacimiento de una nueva mujer. Mi manera de hablar, de actuar, de pensar, y hasta mi comportamiento en las redes sociales reflejaban el nacimiento de una nueva mujer. Fue como si mis ojos estuvieran vendados y ahora hasta los detalles más mínimos a mi alrededor eran visibles. Ahora me gozaba hasta de la naturaleza que me rodeaba. Estaba tan enfocada en lo nuevo que estaba viviendo, que se me había olvidado detenerme a observar el panorama completo.

Bajo mi reconciliación con el Señor, era consciente de que necesitaría llegar a una nueva comunidad de fe. Así que comencé a orar para encontrar una casa espiritual. En mis oraciones con el Padre, le pedía que me llevara a un lugar donde pudiera recibir buena palabra. Un alimento fresco lleno de poder y autoridad que me ayudara a conocer su corazón. Un lugar que me ayudara a reponer los pedazos rotos de mi vida. Un lugar que no fuera demasiado grande con miles de personas, ya que no quería ser un cuerpo más, y que nadie supiera quién yo era. Quería llegar y colaborar. Tampoco quería un lugar demasiado pequeño donde ya se habían conformado con quienes llegaban a sus puertas y no realizaban impactos comunitarios.

Sanidad y revelación

Por medio de una gran amiga y compañera de trabajo, Dios me llevó al lugar donde me congrego hasta el día de hoy. Un lugar lleno de amor, de su presencia y con unos padres espirituales que cambiaron mi vida. Al llegar y escuchar la adoración inmediatamente supe que esa era mi casa. Tal y como sucedió la primera vez, Dios me cautivó a través de la música, de los cánticos y los movimientos. Era mi lenguaje de amor con Él, aun sin yo saberlo. Lo que comencé a experimentar no eran esas emociones del primer amor que sientes cuando conoces a Jesús por primera vez y quieres convertir a todo el mundo. Era una pasión profunda, era un amor redentor.

En aquella iglesia comenzó el verdadero proceso de sanidad en mi vida. Comencé a sanar áreas en mí, de las cuales ni siquiera sabía que necesitaba sanar. Pero de esto voy a entrar en detalles más adelante. Lo que si les quiero explicar es el proceso inicial de una restauración.

Comencé a vivir dos procesos paralelos de manera simultánea. Dios iba sanando y restituyendo. En mi reconciliación con Él, fui viendo cómo todo lo que un día había perdido, llegaba a mi vida multiplicado. Mi transformación personal fue bien fuerte, bien intencional y de manera acelerada. Así que mientras por un lado yo sentía que caminaba en una nube de amor junto al Espíritu Santo, por el otro lado no me había percatado cómo estos cambios habían afectado mi hogar y no entendía que mi esposo estaba viviendo un luto. Él estaba perdiendo la mujer con la que originalmente se casó. Yo no lograba ver su proceso de pérdida, porque yo estaba en un proceso de nacimiento.

Cada vez que me sumergía en oración, cada vez que estaba delante de Dios, algo en mí sanaba. Yo deseaba estar los siete días de la semana si era posible en la iglesia, pero mi esposo no lo entendía. Y ahora, cuando pienso en esos tiempos, es completamente lógico que no lo entendiera, pues él no estaba viviendo la transformación que yo estaba experimentando. Si lo comparamos, es como decir que tengo dolor de cabeza y pretendo que otra persona sienta el dolor que digo sentir. Eso es imposible. Puede comprender que tengo dolor, pero a menos que le dé exactamente igual, nunca lo sentirá.

De momento cuando llegaba el fin de semana y él deseaba salir a compartir a lugares donde frecuentábamos juntos, ya yo no me sentía cómoda.

Él deseaba salir a tomar, y ya yo no deseaba ingerir alcohol. De momento esos dos mundos al que pertenecía comenzaron a chocar. Honestamente yo quería y deseaba que Dios transformara todo a mi alrededor, incluyendo a mi esposo. En mi lógica humana no podía comprender cómo podía vivir dos mundos de manera simultánea, y comenzaba a batallar con Dios. Le rogaba que cambiara a mi esposo. Le rogaba que todo a mi alrededor fuera nuevo. Deseaba que él amara a Dios como yo había aprendido a amarlo y que tuviera una relación como yo la estaba teniendo.

Cometí el error de muchas mujeres que llegan primero a los pies de Jesús. Traté con mis propias fuerzas, con mis propias estrategias para cambiarlo. Yo juraba que él era el problema. Me quejaba que no tenía un sacerdote en mi hogar. Me quejaba de que no tenía cobertura. No comprendía cómo Dios tocaba todo a mi alrededor y mi esposo permanecía bajo las mismas costumbres y la misma conducta que cuando habíamos comenzado. Me enojaba con Dios cada vez que pensaba en este tema. Estaba tan ciega por el deseo de ver cambios en él, que me servía de distracción para los cambios que Dios deseaba hacer en mí.

Yo estaba aprendiendo que yo no era un ser humano buscando una experiencia con Dios; yo era un espíritu viviendo una experiencia humana. Mi espíritu tenía tanta sed, mi alma careció tanto, que solo quería hidratarme.

Restitución

Muchas bendiciones comenzaron a llegar a mi vida, en especial el retorno de mis hijas. Así mismo como un día había perdido su custodia, ambas regresaron a casa. Dios se encargó de hacerme justicia. Aprendí a dejarle a Dios todas mis luchas, a ser obediente y callar. Me dediqué a sus asuntos para que Él se encargara de los míos.

Pronto ya estaba colaborando en la iglesia. Dios me había puesto en gracia delante de mis líderes y me había unido al hermoso ministerio de la consolidación. Comencé recibiendo a quienes llegaban por primera vez a la iglesia y a los pies de Jesús. La misma mujer a quien un día le dijeron que no era digna de levantar su voz, hoy estaba encaminando a quienes nunca habían conocido a Jesús. Esto era algo que hoy le agradezco al Padre. Dar esa primera bienvenida, ese primer abrazo, celebrarlos por aceptar al Señor, no tenía precio. Era representar el corazón del Padre en la tierra.

Con mucha intensidad y velocidad me fui sumergiendo en la Palabra y la presencia de Dios. Seguía conquistando sueños, metas, y planes que me había propuesto en varias ocasiones de la vida. Cada vez enterraba los "yo" aprendidos y me iba acercando a la mujer que Dios había creado. Todo esto iba paralelo a la lucha en mi hogar. Podía experimentar la gloria de Dios en la mañana, y el mismo infierno en la noche. Pero estaba determinada a seguir caminando haca mi propósito y asignación de vida.

A pesar de que mi esposo no entendía por completo mi relación con Dios y era tema de discusión muchas veces en mi casa, no se interponía en mi camino. Aprendí a convivir con los dos mundos. Por un lado, me estaba acercando a descubrir un ministerio hermoso y por el otro tenía tantas preguntas, tantas dudas y ofensas ocultas con Dios. Pero, aun así, estaba a la expectativa de lo que Dios haría.

Por años al ser ministrada por diferentes personas, llegaba a mis oídos la misma palabra: "Llegarás a las naciones". *"Dios te pondrá frente a miles de mujeres para que a través de tu testimonio y de Dios, sean restauradas"*. Yo soñaba con eso. Lo anhelaba. ¿Quién mejor pudiese hablar de cómo Dios restaura una mujer, que una que ha vivido el quebranto?

Confirmación

Una tarde mientras daba un consejo a un compañero de trabajo de cómo levantar su ministerio, sentí la voz del Espíritu Santo que me decía: "La revelación del consejo no es para él, es para ti". Y me quedé perpleja. Sentí eso tan fuerte en mi corazón que deseaba salir corriendo para llegar a casa y encerrarme con el Espíritu Santo y crear. Esa noche vi en mi adoración el nombre de *Palabras de Guerrera™*. Supe inmediatamente que ese sería el nombre de la asignación que Dios me estaba dando. Esa misma noche, tomé mi celular, fui a la Internet y creé una página ministerial en Facebook™. Le puse el nombre y sin logo, sin contenido y sin experiencia me conecté y realicé mi primera grabación en vivo. Simplemente les anuncié a las dos a tres personas que se conectaron, que Dios me acababa de dar una asignación ministerial para conectarme con mujeres que necesitaban escuchar una palabra de parte de Dios. Fue en ese momento que nació el ministerio que lidero hoy de Palabras de Guerrera™ en las redes sociales. Lloraba al comparar la mujer que se conectaba para compartir palabra con la mujer a quien un día callaron y le dijeron que no era digna de hablar.

Poco a poco la página fue creciendo. Cada día más mujeres se añadían. Se convirtió en un lugar seguro para mí y para ellas. Un día, mientras compartía un pedazo de mi testimonio, comencé a leer los comentarios: *"Saludos, Guerrera, desde República Dominicana"*. *"Bendiciones, amada, desde Nicaragua."* *"Ore por mi familia, desde Colombia"*. Las lágrimas comenzaban a caer de mis ojos. Sin darme cuenta, una palabra profética se estaba cumpliendo: ¡le estaba predicando a las naciones! Aprendí que **las promesas de Dios no se cumplen bajo nuestro diseño natural, sino bajo el diseño perfecto del reino.**

Unos meses después de ese cumplimiento, llegó a mi lugar de trabajo una Pastora muy querida junto a su esposo. Me llamó para saber si yo estaba allí y me dijo que era necesario verme. Así que me presenté delante de ella y de su esposo. Entre risas, abrazos y saludos me dijo el motivo de la conversación. *"Janice, voy para Nicaragua a finales de enero y he sentido de parte de Dios que viajes a ministrar junto a mí".* No supe cómo reaccionar. No podía llorar allí porque estaba en medio de una megatienda llena de cientos de personas. Mi cuerpo apenas me sostenía. No podía creer que una de las pastoras que yo admiraba, me creía apta para ministrar en las plataformas que ella pisaba. Ella deseaba abrirme las puertas de las naciones que Dios le había abierto a ella. Por supuesto le dije que sí; nunca le digo un no a Dios. Este sería el reto más intenso de mi vida ministerial. Aunque me apasionaba la Palabra de Dios, aunque no tenía miedo de hablar frente a multitudes, al compararme con ella y con otros ministros conocidos, me sentía inferior. Pero, como Guerrera al fin, estaba dispuesta a descubrir esta puerta que Dios me acababa de abrir. Mi obediencia había hecho que esa palabra profética se cumpliera, pero la perseverancia en mi asignación ahora estaba provocando un cumplimiento tangible.

Ese viaje me cambió la vida. Jamás he vuelto a ser la misma. Dios no me dejó en vergüenza y tuve la oportunidad de ministrar a mujeres tan hermosas, tan especiales para Dios. Al regresar a Puerto Rico, la Pastora me dijo que sus puertas eran mis puertas y que las naciones que la reciben a ella me recibirían igual. Ese año tuve la oportunidad de viajar a ministrar a Cuba también. Fueron tantas experiencias que un libro no me daría para resumirlo todo. Las invitaciones locales para ministrar, para dar talleres, para hablar en la radio, no pararon. Sin saber cuáles eran los planes de Dios, estaba compartiendo herramientas de reino con mujeres de todas las edades, nacionalidades y creencias.

Mientras hacía todo esto, la lucha en mi matrimonio continuaba. Yo pensaba que Dios estaba sordo a mis peticiones. No entendía cómo era posible ser ministro y a la vez, no tener la ayuda idónea que yo entendía que debería estar a mi lado. La felicidad que mi vida espiritual me brindaba pronto opacó mi realidad matrimonial. Aunque no llegaban respuestas, yo permanecía creyendo que Dios un día hablaría. Deseaba el camino de rosas, y se me olvidaron las espinas.

Ese día llegó y lo que escuché no era la respuesta que yo pensaba recibir.

Característica de una Guerrera:

Reconoce la fuente de su fuerza

No se trata de querer jugar el papel de la mujer maravilla o de creer que seamos de piedra. Ese no es el secreto de una Guerrera. Una Guerrera sabe que al confesarle sus debilidades a Dios y depositarlas en sus manos, Él se perfecciona en ellas. La fuerza proviene de Él. Siempre que hablo de esto me transporto a la asignación de Jesús. Rumbo a su más grande batalla, caminando en obediencia y con la certeza del respaldo del Padre, aun así, en la humanidad que le tocó vivir, estuvo débil. Cada golpe que recibió, cada latigazo, cada herida lo debilitó. Y camino al monte donde pelearía, tuvo tropiezos en el camino. Se debilitó y se cayó. Cuando no tuvo las fuerzas para llevar sólo su carga, por medio de aquel soldado romano, el Padre le colocó a su lado un Cirineo, una ayuda que le brindó fuerzas y por la cual pudo llegar a su destino.

> *Cuando una guerrera se siente débil, sabe clamar al Padre para entregarle su debilidad y esperar que Él se haga fuerte en ella.*

Las guerreras también lloramos, pero sabemos esto:

Me alegro de ser débil, de ser insultado y perseguido, y de tener necesidades y dificultades por ser fiel a Cristo. Pues lo que me hace fuerte es reconocer que soy débil.
(2 Corintios 12:10, TLA)

Mi debilidad es su fortaleza y mis victorias son su gloria.
#sevalellorar

Lágrimas

de sanidad

La niña de 40 años

Lágrimas de sanidad
La niña de 40 años

"No es justo". Esas fueron las palabras que le gritaba a Dios al pensar en mi situación. Yo deseaba con todas las fuerzas que Él interviniera en mi matrimonio. Pero esa intervención que yo le estaba implorando estaba condicionada a mi manera de ver las cosas. Yo estaba convencida de que el precio que yo estaba pagando de serle fiel, de servirle, de guardarme, merecía que mi esposo fuera transformado o quitado. Por mucho tiempo guardaba coraje en mi corazón. No entendía cómo un Dios soberano, capaz de darle a Abigail (la heroína de una historia en la Biblia) una segunda oportunidad en la vida y en el amor, no lo quería hacer conmigo. ¿Cómo era posible que yo experimentara la gloria y el infierno de manera simultánea?

Por mucho tiempo Dios guardó silencio. Me hablaba de todas las áreas de mi vida excepto esa. Un día, en una de mis perretas con Dios recibí una de las lecciones más grandes de mi vida. Me tocaba ministrar un domingo, y ese sábado antes, mi esposo había llegado borracho a la casa. Había tomado tanto que apenas podía caminar. Tuve que ayudarlo, quitarle la ropa, acostarlo en la cama y esperar a que se quedara dormido para asegurarme de que estuviera bien. Salí esa madrugada a llorar, a reclamarle al Señor. Le reclamaba como si estuviera ciego. Yo tuve muchas oportunidades de salir de esa relación. Hubo muchos momentos en que se podía justificar la salida. Sin embargo, yo misma boicoteaba la separación. Nunca tuve la valentía ni el deseo de dejarlo, a pesar de todos los momentos que viví.

Y le grité a Dios esas palabras: *"No es justo".* Bajo un susurro apacible como la brisa cálida que puedes sentir en el campo, Él me contestó: "Lo amo a él, de la misma manera que te amo a ti. Morí por él, de la misma manera que morí por ti. No te amo más a ti porque me sirvas, tú tienes ya consciencia de mí. Él aun no". Esas palabras me sellaron la boca. Allí parada en medio de una calle solitaria, en plena oscuridad y casi al rallar el alba, con mis ojos abultados de tanto llorar, Dios me confrontó con el corazón de un Padre Creador.

En mis perretas lo estaba poniendo a elegir entre dos hijos; entre dos seres creados a su imagen y semejanza. Fue una sensación de gran impotencia. Suspiré, miré al suelo avergonzada, y le pregunté cuál entonces debía ser mi actitud. Su respuesta a mi corazón fue como regar agua sobre una tierra seca:

"Ama lo que yo amo. Honra lo que Yo honro". Más fuerte lloraba. No me creía capaz de realizar lo que Él me estaba demandando. No había quedado satisfecha con su contestación, pero le pedí perdón y cambié mi oración. Ahora daba honra y amaba con toda la intensidad posible, aunque no recibiera la misma honra ni el mismo amor que daba.

Hubo dos cosas que ahora le pedía a Dios en oración. Una, que me enseñara a amar y a ver como Él ama y ve. Y la segunda, que me mostrara qué áreas aun me faltaban por sanar. Yo deseaba entender el porqué de las decisiones de mi vida. Quería entender por qué abrazaba y me aferraba a la disfunción. A pesar de todos los éxitos que había logrado, de las grandes pruebas que había superado, sentía que había un área oculta en mi vida. Había cosas en mí que no entendía y no hacían lógica.

Estuve los próximos cinco años sanando muchas cosas. En el camino ministraba, ganaba experiencia, conociendo tantas personas hermosas que fueron y han sido de bendición a mi vida. Mi vida paralela continuaba. Tenía momentos gloriosos y momentos fuertes. Aunque había comenzado a ver pequeños cambios en mi esposo, las cosas corrían igual. Me mantuve caminando bajo la obediencia de Dios y dejando mi vida en sus manos, pero aun sentía que faltaba algo por sanar.

El dolor de la niña de 5 años

Cada día buscaba tener una relación diferente con el Señor. Cada vez nuestros momentos a solas cobraban un color diferente, un estilo diferente. Me estaba adentrando en conocer a Dios en su rol de Padre.

Estaba ya acercándose mi fecha de cumpleaños. Pronto llegaría a los 40 años. Yo había criticado a mujeres que decían que entraban en crisis existenciales al llegar a ciertas edades. Pensaba que eran changuerías (niñerías) como decían en el campo. Pero, mientras más me acercaba a la fecha, más emocional y vulnerable me sentía. Era algo que no podía explicar. Llegar a esas edades de cierta manera te hacen mirar en retrospección y analizar tu vida. Piensas en los logros, en las pérdidas, en lo que has realizado y lo que abandonaste en el camino. Fue mirar hacia atrás y darme cuenta de que estaba a mitad de mi vida.

En ese momento recuerdo que le decía a Dios que yo no deseaba vivir mis próximos cuarenta años como había vivido los primeros. Ya no estaba dispuesta a volver a abandonar mi yo. Ya no estaba dispuesta a luchar tanto para que otros fueran felices a sacrificio de mi propia felicidad o identidad. Los primeros cuarenta años de mi vida había cometido muchos errores y los viví de la manera que yo pensaba que eran correctos. Ahora deseaba que los próximos cuarenta años de mi vida fueran dedicados a Él. Quería retribuirle al cielo. Y nuevamente, Dios me escuchó.

Estuvimos participando de una escuela de cirugía emocional. Una capacitación hermosa que nos trajeron como herramienta para poder ministrarle sanidad a personas que solicitaran oración. Ya el fin de semana estaba por culminar. Pero antes, el Pastor que estuvo ministrando quiso hacer una oración de manera colectiva sobre todos. Bajaron las luces y cerramos nuestros ojos. De fondo se escuchaba la hermosa melodía de una adoración instrumental. Comencé a concentrarme en lo que Dios quería hablar a mi corazón. Y de repente me fui.

Comencé a caer por un torbellino que contenía las imágenes de mi vida. Iba en un retroceso acelerado y espiral. De momento todo se detuvo. Allí estaba yo, con 40 años, parada frente a mi versión de niña. Dios me llevó frente a mi primera versión rota de mí misma. Allí reviví una experiencia de vida que había permanecido oculta hasta de mis propios pensamientos. Era como si esa experiencia de mi vida mi cerebro la hubiera bloqueado para que no llegara a mi memoria. Allí vi el quebranto de una niña inocente. Pude observar a la niña llorar. Pude sentir su miedo. Pude experimentar su impotencia y su dolor.

Yo no sabía qué hacer. En mi visión, comencé a caminar hacia mí misma. Justo en ese momento, en la iglesia, una dama se estaba acercando a mí. Cuando extendí mis brazos para abrazar a la niña, pude sentir cómo me abrazaban a mí. Me descompuse. Mi llanto se había convertido en gritos y gemidos desgarradores de dolor. No me importaba que me escucharan. Ese abrazo me estaba sanando de la misma manera que yo estaba sanando a la niña. La abracé. Le dije que todo iba a estar bien. Le dije que yo le creía. Le dije que ella merecía ser feliz, y sequé sus lágrimas. Lloré junto a ella, hasta que al abrir mis ojos me percaté que estaba en el suelo de la iglesia, frente al altar y estaba encorvada en posición fetal.

Esa noche sané y entendí. Tantos años de dolor. Tanto tiempo sin poder entender decisiones y conductas. Yo estuve arrastrando una niña rota. Yo había necesitado que me validaran, que me protegieran. En mi camino, quienes se supone que lo hicieran, no lo habían hecho. Al menos no cuando lo necesité. Esa noche de octubre, a la edad de cuarenta, Dios sanó a la niña de cinco.

Mi vida jamás ha vuelto a ser la misma desde aquella noche. Ya no era ciega. Ya no era sorda. Ya no era muda y mucho menos era víctima. Esa noche terminé de recuperar mi yo. A la versión original que Dios había puesto sobre la tierra para que fuera feliz y gozara de los planes de bien que tenía para mí. Nunca había sentido tanto dolor y tanto alivio a la vez.

Fue una noche de grandes lecciones. **Comprendí que tengo la capacidad de decidir ser feliz.** Comprendí que yo soy la que permito si las cosas me afectan o no. Allí todo argumento de esclavitud quedó quebrantado y Dios me devolvió de un cautiverio oculto. Sané todas las ofensas ocultas que tenía contra Dios. Esas ofensas que no sabemos que están en nuestro corazón, pero que nacen de todas las ocasiones cuando esperábamos que Dios obrara y tal vez no lo hizo. De las que nacen cuando vemos nuestras peticiones cumplidas en otras personas y no en nosotros. Esa noche cerré toda puerta de maldición. Había vuelto a mi lugar de origen.

La imagen que trascendió

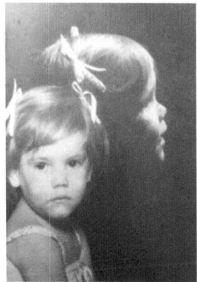

Dicen que una imagen habla mucho más que mil palabras. Esta imagen que comparto con ustedes es una imagen que encontré navegando por la Internet un día que quise testificar el momento más doloroso y hermoso de mi vida. Esta imagen que encontré, ni siquiera sabía quién era el artista, pero era la imagen perfecta para resumirles cómo a mis 40 años, Dios sanó mi niña interior de 5 añitos.

Esta imagen muestra la foto de una mujer adulta con el reflejo de una niña justo detrás. La niña está ubicada justo sobre la mente, la cabeza de la mujer. Cuando vi la imagen quedé paralizada. La imagen no solo me recordaba a mí, sino que la niña era idéntica a una foto que me tomaron mis padres. Y la imagen compuesta de la adulta y la niña fue lo que experimenté esa noche de octubre en la iglesia.

Es increíble cómo la sanidad de una persona puede dar apertura a la sanidad de un tercero. Al culminar mi libro y mirar en detalle todo lo compartido, me di a la tarea de buscar la información sobre el artista de esta foto. Estuve toda una madrugada buscando el artista, ya que solo tenía la pequeña firma en la esquina de la foto y nada más. Le pedí al Señor que me ayudara en la búsqueda, ya que deseaba poder incluir la imagen en el libro. Y Dios me escuchó.

Un viernes de madrugada, encontré otra pintura con la misma firma en la esquina inferior que el dibujo con el cual me había identificado. Al seguir la pista de la imagen, me llevó a una página en la Internet con el nombre de MichMoArt. Decidí enviarle un mensaje preguntándole sobre el dibujo que usé en mi testimonio, para saber si ese dibujo era de su creación.

Esa misma mañana me contestó. Resulta que es una mujer artista, la creadora de tan hermosa pieza. Su nombre es Michele Molina. Ella me contestó afirmándome que la pintura es de ella y me preguntó si estaba interesada en comprarla. Comencé a llorar. Ella continuó diciendo que es una pieza de sanidad que dibujó en el año 2006, después de haber experimentado una sanidad tanto física como emocional. Me dijo que a los 18 años fue sobreviviente de violencia doméstica. Toda la turbulencia de su experiencia tan dolorosa, la llevó presa por 25 años. Estando allí creó esta hermosa pieza: "The Child Within" o La Niña Interior. Ella deseaba que alguien, al igual que ella, quedara sana.

Ese día no dejé de llorar. Su expresión de sanidad me alcanzó 13 años después. Le envié una foto mía, tanto de adulta, como la de mi niña, y quedó asombrada. Aunque la foto que yo encontré era de ella, al compararla con la mía, cualquiera afirmaría que era yo.

Este testimonio me ha hecho reafirmar que todo lo que lanzas a la atmósfera es como la Palabra de Dios, que no torna atrás vacía, sino que cumple el propósito para el cual ha sido lanzada. Es importante que todo lo que pueda ser de bendición, todo talento, sea lanzado y no enterrado. Cada mujer, cada guerrera, debe cantar para que otras escuchen, deben escribir para que otras lean, y deben exponer sus talentos para que otras se beneficien.

Característica de una Guerrera:

Utiliza las cicatrices de combate como recordatorio de victorias

Cada cicatriz que tenemos carga consigo una gran historia. Una vez escuché un exponente de la palabra hablar sobre la vara y el cayado de un pastor de ovejas. Él decía que cuando en el Salmo 23 de la Biblia el salmista decía: *"tu vara y tu cayado me infundirán aliento"* (Salmo 23:4, RVR 60), era porque los pastores de ovejas tenían como costumbre escribir en su vara y su cayado cada victoria, cada prueba superada. Cuando llegaban los momentos fuertes, los días donde tal vez se sentían temerosos o desanimados, al mirar su vara y su cayado, recordaban y traían a memoria cada victoria que habían logrado en el campo y en su caminar. Eso se quedó grabado en mi corazón. Ya no veo las cicatrices como recordatorio de lo vivido, sino de las victorias que he obtenido.

Una guerrera sabe que la gloria postrera será mayor que la primera.

Las guerreras lloramos, pero sabemos que:

He aquí que yo les traeré sanidad y medicina; y los curaré, y les revelaré abundancia de paz y de verdad.
(Jeremías 33:6, RVR 60)

Los planes de Dios para cada una de nosotras incluyen la felicidad y la sanidad de las heridas del alma.
#sevalellorar

Lágrimas

de gozo

La historia que continúa

Lágrimas de gozo
La historia que continúa

Muchas mujeres me ven por las redes, por la televisión, me escuchan en la radio o me ven presenciales en una prédica o charla, y piensan que mi vida es color de rosa. Ven el favor y la gracia de Dios, pero no conocen las batallas que me han llevado a estar donde hoy Dios me ha colocado.

La intención detrás de esta obra literaria no es darte a conocer mi testimonio. Es animarte a que te acerques al amor redentor de un Padre que te creó con la intención de que seas feliz.

Soy fiel creyente en que Dios crea y diseña primero la asignación de vida que vamos a cargar. Deposita con ella dones y talentos. Una vez su obra maestra está diseñada, crea a la persona que, hecha a su imagen y semejanza, la hará cumplir.

Es fácil dejarse engañar por los argumentos que a veces el enemigo deposita en nuestra mente. Es fácil frustrarse en el camino y sentir que nacimos para sufrir y para llorar. Quienes han tenido que luchar para sobrevivir, incluso desde el vientre de una madre, podrían inclinarse a ese pensamiento. Pero este libro fue puesto en tus manos para recordarte que no importa la edad, no importa en qué etapa de la vida estés, fuiste, eres y siempre serás la niña de los ojos de Dios.

Un día estando en mi tiempo de adoración con Dios, le gritaba en llanto que me permitiera llegar a Él como niña. Yo no quería hablar con Él como la mujer de cuarenta años. Yo quería entrar en su presencia como la niña de cinco. ¿Sabes por qué? Los niños tienen la habilidad de conectarse al mundo espiritual mejor que un adulto. Los niños no creen en imposibles. Los niños, con una toalla amarradas al cuello, sienten que pueden volar. Los niños crean un mundo donde todo es posible, nada tiene lógica y lo primordial es reír. Yo quería ser sorprendida por el Padre. Yo quería ver colores en mi adoración. Quería sentir sonidos. Quería crear movimientos. Y una vez más, Dios escuchó.

Al día siguiente de esa petición, llegué a la iglesia y mientras esperaba en comunión que el servicio diera comienzo, se me acercó una hermana que amo, con una sonrisa que le invadía su rostro.

Ella no dejaba de reír. Se me acercó y me dijo: *"Janice, Dios me dijo que te diera algo. Estuve orando por ti y Él me dijo que era necesario que te entregara esto"*. Ella estaba abrazando algo contra su pecho. Lo miraba y reía, y luego me miraba a mí. Al despegarse el regalo de su pecho y ponerlo en mis manos, las lágrimas, como de costumbre, invadieron mi rostro. *"El Señor me dijo que te entregara una muñeca. Me dijo que estaba sanando a tu niña"*. Quería gritar, llorar, reír y no podía reaccionar. Ese momento fue un momento donde Dios validó mi conversación. Fue su manera de decirme que me había escuchado.

Esa misma noche y al día siguiente, me encerré en mi cuarto de oración. Puse música de adoración, me tiré al suelo y simplemente jugué. Simplemente me abrí a un mundo de posibilidades.

La sanidad progresiva

Hubo muchos momentos de dolor y de sufrimientos que no quise describir en este libro. Momentos donde incluso me vi al borde de la muerte en varias ocasiones de mi vida. Pero, por amor y respeto a la memoria y al carácter de diversas personas, preferí dejarlos fuera. Quise darte acceso a las lágrimas de una guerrera.

Una de las áreas de mi vida que fue sanada en el tiempo de escritura de este libro y llegando al cuarto piso de la edad, fue el orgullo. Siempre he sido humilde de carácter. No me considero una persona altiva, pero me costaba pedir ayuda. Me costaba mostrar mis debilidades. No era fácil para mí pedir o recibir ayuda. El lado negativo de ser considerada una mujer fuerte, resiliente o guerrera es que te acostumbras a querer ser autosuficiente. De hecho, muchas mujeres que son consideradas guerreras carecen de personas que se les acerquen a brindar ayuda, precisamente porque son consideradas fuertes. Muchos piensan que, si ellas fueron capaces de superar pruebas grandes, no necesitan ayuda.

En mi proceso fue necesario que Dios me llevara a un punto de vulnerabilidad donde fue necesario acercarme a personas para pedir ayuda. Fue necesario confesar que estaba débil, triste, enojada o pasando por alguna necesidad. Al hacerlo, al exponerme de la manera correcta, algo maravilloso comenzó a suceder.

Aún recuerdo el día que encerrada en mi cuarto de oración estaba sumida en llanto. Sentía una presencia tan linda de parte del Señor y me quebranté. En ese momento sentí su voz que me decía: *"Graba"*. Yo me negaba. Era mostrar mi debilidad y quebranto al mundo entero. Pero, en obediencia lo hice. Me conecté y en lágrimas comencé a mostrar mi vulnerabilidad. Mostré una parte de mí que no era la usual y al hacerlo, cientos de comentarios y mensajes comenzaron a llegar. Por las redes, vía mensajería, por correo electrónico, por todos los medios. Eran mujeres confesando que se sentían igual. Estaban quebrantadas y no todas se sentían tan valientes como para mostrarlo o como para pedir ayuda. Mi vulnerabilidad abrió el camino para que ellas a su vez comenzaran a abrirse con ellas mismas y con Dios.

Aprendí que las Guerreras lloramos, pero también sabemos que nuestra vulnerabilidad les abre camino a otras, y que pagamos el precio para que nuestra generación no necesariamente lo tenga que pagar.

El reinado del Rey David fue de muchas guerras, pero el reinado de su hijo Salomón se caracterizó más por la paz que por las guerras. Hay puertas espirituales que nosotras podemos abrir o cerrar sobre nuestras generaciones. Cuáles abrimos o cuáles cerramos va a depender de nosotras mismas.

Este es tu momento. **Es el momento de retomar los planes y proyectos que un día abandonaste en el camino.** Es el momento de emprender, de vivir y de crear. No es que no apoyes los sueños de quienes te rodean, es que no sacrifiques los tuyos. Es muy lamentable que el cementerio cargue los más grandes tesoros. Allí enterrados están los libros que nadie llegó a leer, canciones que nadie tuvo la oportunidad de escuchar, las empresas que nadie vio levantarse, las profesiones que no se desarrollaron y se las llevó la tierra.

Amo el proceso de vida donde me encuentro en este momento. No sé cuál es la próxima asignación de vida que me tenga preparada el Señor. Sé que me quedan aún muchas carcajadas por soltar, muchas lágrimas que derramar y muchas cosas por realizar. Soy consciente que no siempre tendré el apoyo que tal vez he idealizado, pero soy mi propia fan. Depositando los planes en las manos de Dios estoy segura de que aquellos que están bajo su diseño prosperarán, aunque muchos a mi alrededor lo puedan dudar.

Ponte a pensar. ¿Qué edad tienes actualmente? ¿Cuál es la edad promedio de las mujeres en tu familia? A esa edad promedio, réstale tu edad actual. Si el Señor no regresa antes, ¿cuántos años de vida te restan por vivir? Y de ellos, ¿cuántos son años de productividad y vitalidad donde tendrás el rendimiento físico para luchar por tus sueños? Al observar ese número, reflexiona si estás viviendo al máximo. Reflexiona cómo deseas vivir el resto de vida que te quede en esta experiencia terrenal.

Te invito a tirar la lógica humana hacia un lado. Te reto a entrar a la presencia de Dios no como la mujer, ni como la adulta, ni como la madre, ni la esposa, ni la líder o la profesional, ni bajo ningún título. Te reto a conectar con Dios como la niña. Como su niña. Déjate amar por Él. Su amor traerá colores, sonidos y movimientos. Ahora su amor te abrirá un mundo de posibilidades.

Es el deseo de esta gran Guerrera.

Característica de una Guerrera:

Camina con personas que suman y no restan

Rodéate de personas que sumen valor a tu vida. Personas que vean un mundo de posibilidades. Personas que te impulsen a ser la mejor versión de ti misma y te acerquen más a Dios. No pretendas saberlo todo. Hay una rica bendición en recibir ayuda en tus áreas de debilidad, de aquellas personas que han superado batallas similares. *Una guerrera sabe lo importante de tener mentores en su vida.*

Las guerreras lloramos, pero sabemos que:

Amados hermanos, les ruego por la autoridad de nuestro Señor Jesucristo que vivan en armonía los unos con los otros. Que no haya divisiones en la iglesia. Por el contrario, sean todos de un mismo parecer, unidos en pensamiento y propósito.
(1 Corintios 1:10)

Unidas bajo un mismo pensar y caminando hacia el mismo propósito nos convertimos en un ejército invencible. #sevalellorar

Epílogo

Lágrimas que testifican

En el Salmo 139, hay un versículo hermoso, el 16, que dice: *"Me viste antes de que naciera. Cada día de mi vida estaba registrado en tu libro. Cada momento fue diseñado antes de que un solo día pasara"*. Tú, que hoy tienes este libro en tus manos, quiero que sepas que desde el momento que lo escribí estaba orando por ti. Pues en el libro del Padre, este día y este momento ya estaban escritos.

Posiblemente al leer las batallas que me han llevado a ser la mujer fuerte que otros ven, tú también pudiste identificarte y reconocer que, al igual que yo, son muchas las batallas que has superado y que continúas liberando. **Cada una de nosotras ha derramado diferentes lágrimas de acuerdo con lo que hemos superado.**

Oro por ti. Oro al Padre para que tengas las fuerzas físicas cada día para dar pasos agigantados de fe y no permanecer en el suelo. Oro al Padre para que tu fe se abrace a la expectativa y puedas vivir cada día de manera intencional y apercibida de lo que Dios hará. Oro para que cada siembra que has hecho en lágrimas, puedas cosecharla en gritos de alegría. Oro para que puedas entender que: ¡*se vale!*

Hoy se vale creer que no existen imposibles. Hoy se vale soñar y creer que nuestros sueños se harán realidad. Hoy se vale querer tenerlo todo. Hoy se vale reír y también llorar. Hoy se vale sentir alegría y también dolor. Hoy se vale decir: "¿Por qué no?". Hoy se vale destapar el mundo de posibilidades.

Estuve orando por ti. Y al hacerlo podía sentir la dulce presencia del Padre como un susurro apacible. Como una brisa suave que hoy está sobre ti. Podía sentir cómo te abrazaba, cómo acariciaba tu pelo y decía: "Esta es mi niña, mi princesa". Te veía sentada en sus faldas sin la necesidad de tener que aparentar ser fuerte, sin la necesidad de correr múltiples roles. En este momento te toca solo ser la niña de Papá. Las palabras no serán necesarias porque nuestro Padre sabe que detrás de cada mujer fuerte, hay una historia de dolor.

Eres valiente, eres fuerte, eres única y eres Guerrera, y las Guerreras también lloramos.

Con amor,
Lágrimas de una Guerrera

#sevalellorar

En torno al Ministerio
Palabras de Guerrera™

El Ministerio *Palabras de Guerrera™* nace como una asignación recibida del corazón de Dios para restaurar y restituir el corazón de las mujeres que conocen también de las que no conocen al Señor. Fue el cumplimiento de una palabra profética que recibí a los 17 años, cuando me dijeron que trabajaría con mujeres de todas las edades y naciones, para recordarles su propósito y su diseño conforme a lo que el Padre ha establecido.

Palabras de Guerrera™ es un ministerio y organización registrada sin fines de lucro que lleva la Palabra de Dios a través de sermones, talleres, evangelismo y asesoría, entre otros, tocando una variedad de temas como:

Sanidad interior

- Talleres y conferencias de violencia doméstica
- Conferencia de "Manejo de Luto"
- "Rompiendo lazos almáticos"
- "Reconciliación con el Reino"
- Taller "Recuperando la esencia original"

Autoestima

- Taller "Trabajando mi yo interior"
- Conferencia "Estableciendo base"
- Taller "Su plan-mis sueños y su cumplimiento"

Sexualidad sana

- Sexualidad para jóvenes, "Sin tabú"
- Sexualidad real para damas

Asesoría ministerial

- Talleres para pastores y líderes para establecer orden y formatos de trabajo dentro de la iglesia

Taller de "Emociones y Argumentos"

Palabras de Guerrera™ ha colaborado en iglesias, empresas privadas y públicas, ministerios y con otras organizaciones sin fines de lucro en Puerto Rico, Estados Unidos, Nicaragua, Cuba y Guatemala. Como ministro de *Palabras de Guerrera*™ he colaborado en radio, TV, prensa y redes sociales.

La meta principal es poder impactar la vida de una mujer, todos los días.

Te puedes comunicar con el Ministerio *Palabras de Guerrera*™ y Janice Rodríguez a través de:

@ palabrasdeguerrera@gmail.com

f Palabras de Guerrera

@ @palabrasdeguerrera

Datos de la Autora

Janice Rodríguez

JANICE RODRÍGUEZ, además de ser fundadora del Ministerio y Organización sin fines de lucro Palabras de Guerrera™, es Ministro de Adoración y Consejo en la Iglesia A Dios Sea La Gloria en Corozal, Puerto Rico. Solicitada conferencista y predicadora, ha sido recurso en varios medios de comunicación en Puerto Rico, Estados Unidos, Nicaragua, Cuba y otros países de habla hispana, en temas de sanidad interior, coaching empresarial y autoestima.

Ostenta un Certificado Ministerial de Capellanía Avanzada de la International Federation of Christian Chaplaincy & Counseling. En su carrera empresarial fue Directora de Ventas y especialista en el mercado al por mayor durante 16 años.

Reside en Puerto Rico y es esposa y madre de tres hijos.

Elogios para la Autora

Janice Rodríguez

Hablar de sí mismo es realmente bien difícil, y tratar de explicar nuestra esencia aun mayor, pero, en esta ocasión te lo puedo explicar de esta manera:

Hace unos meses fue mi cumpleaños #41 y para el Día de las Madres, mi hija menor se dio a la tarea de enviarle en mensaje a diferentes personas que ella sabe que se han relacionado conmigo solicitándoles: "una palabra que describa a mami para ti". Esta foto abajo fue el resultado de las personas que le contestaron.

En adición, me envió los siguientes mensajes escritos por diferentes personas. Creo que ellos han captado mi verdadera esencia y enviaron los mensajes de manera libre y voluntaria, lo cual lo recibí humildemente como una honra de parte de Dios:

"Janice es una persona que en los momentos donde más vulnerable he estado, Dios la envía con una palabra idónea para volver a enfocar lo que Dios ha hablado. Guerrera de Dios, mujer virtuosa preparada para estos tiempos".

Mayrelis Robles, Empresaria
Dueña de Zion Fitness Club, Puerto Rico

"Janice es de esas personas que te hacen sentir que eres importante. Ella se da y busca bendecir en lugar de recibir. Es de esas amigas que siempre quieres tener cerca. A pesar de la distancia que nos separa físicamente, siempre estás en mi corazón".

Sarinette Caraballo, Empresaria
Autora de Dios en las redes sociales
CEO de ASK Leadership Team
Fundadora de Soñadoras

"Ella para mí representa alegría, fuerza, valentía, sinceridad. Para mí es una persona que me recuerda la realidad de Dios. Además de un corazón enorme, sabes que puedes contar con ella y no hay palabras para juzgar, sino para levantar. La amo".

Chris Navarro, Pastora de Jóvenes
Iglesia Cristiana Massai, Puerto Rico